Ilona Steinert

IMPULSE

**Werde zu der Frau,
die Du in Wahrheit bist**

Vorwort

Vor kurzem saß ich auf den Treppen vor dem Haus in der Sonne und ging in mich. Komischer Ort denkst du? Stimmt, aber mir war danach. Ich fragte mich ob in meinem Leben alles so läuft wie ich es mir wünsche. Ob das was mir am Herzen liegt, was ich in die Welt tragen will, auch wirklich dort ankommt.

Denn ich habe schon lange eine Vision. Ich wünsche mir, dass mehr Frauen ihren eigenen Weg elegant, in Anmut und in Wertschätzung gehen können. Einfacher aus dem Höher-Weiter-Schneller aussteigen können. Es steht so viel auf dem Spiel: Unser Herz, unser Sein, unsere Freude.

„Was kann ich tun, was ich noch nicht dazu beitrage?", waren meine Gedanken. „Ich kann **Ilonas Impulse** gründen, die dich in vielen verschiedenen Lebensbereichen an dich selbst erinnern."

Immer wenn du nicht mehr weiter weißt oder wenn dich Selbstzweifel plagen, dann hast du vergessen, dass du einzigartiges Wesen bist! Für das es in allen Situationen einzigartige, stimmige Herangehensweisen und Lösungen gibt.

Ilonas Impulse möchten dir Bereiche aufzeigen, in denen dir das womöglich nicht mehr präsent ist!

Sie sollen dich dabei unterstützen, in jedem Bereich deines Lebens zu der zu werden, die du in Wahrheit bist:
- **authentisch**
- **liebenswert und**
- **unverwechselbar!**

© 2019 Ilona Steinert
DE-79104 Freiburg

Verlag und Druck: tredition GmbH, Halenreie 40-44, 22359 Hamburg

ISBN Paperback: 978-3-7482-9465-8
ISBN e-Book: 978-3-7482-9466-5

52 Impulse

für dein Jahr
der Transformation

52 Impulse

für dein Jahr der Transformation

Eine
Gebrauchsanweisung
bevor du startest

Es gibt Momente im eigenen Leben, da ist es hilfreich Altes zu hinterfragen und neue Blickwinkel einzuladen. Gut tut das vor allem dann, wenn es gerade nicht weitergeht und das momentane Leben zu anstrengend ist. Oder – und das liebe ich besonders – wenn du Freude an Neuem, Freude an Erweiterung hast und noch mehr davon in dein Leben einladen willst.

Mit Hilfe meiner Impulse kannst du Licht hinbringen, wo es noch unklar ist. Alles was du durch die Impulse wahrnimmst, was sichtbar wird, ist Schubkraft für deine Transformation.

52 Impulse sind wie die Wochen eines Jahres. Nimm dir im Idealfall einen Impuls pro Woche vor, mach seine Aussage zum Thema und notiere dir alles was du dazu erkennst, erlebst und verändern möchtest. Ganz konkret. Ich empfehle dir das Schreiben, denn es löst und hat mehr Kraft, als wenn du nur über den Impuls nachdenkst.

**Vielleicht etwas mehr Aufwand,
dafür aber im Ergebnis mehr Leichtigkeit und Lebensfreude.**

Viel Freude mit diesem Jahresbuch.

Herzlichst, Deine Ilona

Hallo, eine Frage...

Wie sehr hast du das Gefühl, zu Hause zu sein?

Nicht daheim in deiner Wohnung, ich meine zu Hause in ALLEN Bereichen deines Lebens. Was steckt hinter meiner Frage?

So lange du Ziele verfolgst, die dir eigentlich nichts bedeuten, solange du dein Leben mit Menschen teilst, denen dein Herz nicht wirklich gehört, solange du immer und immer wieder Dinge tust, zu denen dein Herz nicht JA sagt, solange wirst du dich heimatlos fühlen. Unerfüllt.

Warum das, fragst du? Weil jedes JA zu etwas, was dir im Grunde wenig bis nichts bedeutet, ein klares NEIN zu dir und deinem Herz ist.

Wie willst du dich an Orten, in Situationen, während deiner Arbeit, in deinem Leben zu Hause fühlen, wenn dein Herz woanders ist? Könnte es nicht sein, dass du damit Selbstbetrug betreibst, obwohl dein Verstand so gute Argumente vorbringt?

- „Da kann man nicht absagen, das geht einfach nicht!"
- „Ich würde schon gerne, aber die Zeit ist einfach nicht reif!"
- „Naja, schön ist es nicht, aber hat auch seine Vorteile, wenn ich da zustimme!"

Hier 3 Tipps für dich:

Finde heraus, was du willst.
Was du wirklich willst, nicht was du glaubst wollen zu sollen. Das ist dein Kompass. Dein Fixstern, der für dich leuchten wird.

Tue nichts, wenn DEIN HERZ dazu nicht JA sagen kann.
Und höre nicht immer auf deinen Verstand mit seinen Argumenten. Er ist ein Spielverderber, der bloß will, dass du nach SEINER Pfeife tanzt. IHM zuliebe etwas zu tun oder nicht zu tun, ist genauso am Thema vorbei, wie es anderen Leuten recht machen zu wollen.

Sag „Nein", wenn dein Herz NEIN meint.

Zu Menschen, zu Plänen, zu Meinungen, wenn sie nicht stimmig sind für DICH.

Schaffst du das, oder glaubst du. Du bist ein hoffnungsloser Fall? Ok hier ist noch ein Deal für dich: Wenn du das nächste Mal den reflexartigen Drang verspürst, JA sagen zu müssen, obwohl du nein meinst, press die Zunge gegen den Gaumen, zähle rückwärts von 10 auf 0. Und dann atmest du noch einmal tief durch.

„Danke, aber nein danke" ist ein ganz prima Satz. So schlicht und fein. Probiere es mal aus. Im Gespräch oder auch im Selbstgespräch.

Das sind meine Gedanken dazu:

_____

_____

_____

_____

_____

_____

_____

_____

_____

_____

_____

_____

_____

_____

Hast du Wünsche?

Vor vielen Jahren sagte einer meiner Meditationslehrer etwas zu mir, was ich im ersten Moment überhaupt nicht verstanden habe:

„Alle unsere Wünsche an die äußere Welt sind in Wirklichkeit Wünsche an uns selbst."

Ich hatte damals soooo viele Wünsche an die äußere Welt. Ich wollte selbstständig sein, ich wollte die schöne Altbauwohnung, ich wollte nach Asien reisen, ich wollte den einen, den richtigen Mann.

Was sollte jetzt dieser Spruch? Hatte der Meditationslehrer mir den nach der „friss oder stirbt Methode" nur so hingeworfen? Ich war auf Zinne. Aber meditieren heißt ja in sich gehen und einige Zeit später hatte ich eine wahre Erkenntnis.

Mit der Selbstliebe verhält es sich nämlich ganz ähnlich:

- Wenn wir Sicherheit und Vertrauen im Außen, z. B. bei einer anderen Person suchen, dann wollen wir eigentlich nur mehr Sicherheit und Vertrauen in uns selbst.

- Suchen wir Freiheit, wollen wir alle äußeren Ketten sprengen, denn wir schränken uns selbst innerlich zu sehr ein.

- Wollen wir, dass die Menschen respekt- und liebevoller mit uns umgehen, dann wollen wir in Wirklichkeit so mit uns selbst umgehen.

- Suchen wir die Anerkennung der anderen, dann wollen wir uns selbst mehr anerkennen.

Und last but not least: Sind wir auf der Suche nach der großen Liebe, dem wunderbarsten Mann aller Zeiten, dann suchen wir in Wahrheit die Selbstliebe.

Diese Erkenntnis hat mich innerlich ganz schön aufgewühlt.

Im Grunde geht es darum, immer zuerst nach innen zu schauen, zu dir selbst. Vertrauen, Respekt und Liebe zu dir selbst zu entwickeln, bevor du etwas im Außen suchst. Denn dort finden wir es nicht dauerhaft. Das ist nur eine Illusion, die uns die äußere Welt gerne vorgaukelt.
Und wir fallen drauf rein. Plumps…

Wie wäre es wenn du es jetzt anders angehst? Dich deinem Inneren widmest und deine Selbstliebe auf ein neues Level hebst? Dich innerlich näher auf deine Selbstliebe zu bewegst?

Das sind meine Gedanken dazu:

_____

_____

_____

_____

_____

_____

_____

_____

_____

_____

_____

_____

_____

_____

_____

_____

_____

Der Frosch im Kochtopf

In der Schule hatte ich eine wunderbare Lehrerin, Frau Kawick, die ich sehr verehrte. Sie war Großwildjägerin und ging während der Sommerferien regelmäßig in Afrika auf Safari.

Ich sehe sie heute noch vor dem Pult stehen und ihre Handtasche aus Krokodilleder auf und zu knipsen, während sie über etwas sprach. (Sei dir sicher heute denke ich über Großwildjäger und Krokodilleder anders, aber damals war sie der Inbegriff von etwas Besonderem für mich!) Und sie war auch eine wunderbare Pädagogin.

Einmal war meine Versetzung stark gefährdet, aber ich habe nichts, rein gar nichts getan um das Sitzenbleiben abzuwenden. Ich hatte keine Lust und war verstockt.

Da erzählte sie mir die Geschichte vom Frosch im Kochtopf der nicht merkt, dass das Wasser heißer und heißer wird und einfach nicht rausspringt.

Er bleibt drin sitzen obwohl er einfach nur springen müsste. Weil er sich so an das warme Wasser gewöhnt hat und nicht merkt was geschieht. Bis es zu spät ist.

Manche von euch sagen vielleicht jetzt: Naja du hast damals vielleicht gehofft es passiert dir nichts.

Na ja, aber in der Geschichte wird der Frosch gekocht.

Oft höre ich in Gesprächen mit Klienten die Angst heraus irgendetwas zu verändern. Sie sind in ihr Leben, ihre Beziehung gestartet und am Anfang lief es ganz gut. Man nennt es den Zauber und die Kraft des Neuanfangs. Doch dann wurde es schwerer. Oder es reichte noch nie so richtig zu einem vollen Leben.

Es ist so – mit jedem Monat oder Jahr steigt die Temperatur im Kochtopf. Du hast aber jetzt die Wahl. Die Wahl aus dem Kochtopf zu springen.

Ich weiß der große Sprung muss im Kopf passieren.
Zu sagen: „Ich werde aktiv, ich setze meine Zeit und mein Geld ein. Für mich, für die Entwicklung meines Lebens und meines Glücks!" Ohne positiven Beweis, dass du es schaffst – denn du hast es ja bisher nur im Kopf durchgespielt. Mit allen Gegenargumenten, die dir deine innere Stimme nur liefern kann, denn die mag Veränderungen gar nicht! Wie oft will sie dir weismachen, dass sich die Dinge am Ende sowieso immer zum Schlechten wenden?

Stimmt. Das Gefühl des Zweifelns, das kann ich dir nicht nehmen. Nur du selbst kannst es ersetzen. Durch deinen Mut zu tun, was dein Herz gerne tun möchte, auch wenn du Angst vor einer erfolgreichen Veränderung hast.

Deshalb: Ich kann dir nur zurufen „Spring raus!"

Das sind meine Gedanken dazu:

Der Trick mit dem Mutausbruch

Ich liebe **Mutausbrüche**. Bei mir, bei meinen wundervollen Klientinnen und bei Frauen, die erst meine Klientinnen werden wollen.

Warum? Weil ich weiß, dass jeder einzelne Mutausbruch, die Welt besser macht.

Er lässt ein wenig Zweifel, Kleinklein-Spielen, Zaghaftigkeit verschwinden und schafft mehr Freude, Leichtigkeit und Selbstvertrauen. Aber erst dann, wenn man ihm auch nachgegeben hat und mutig war.

So wie diese wundervolle Frau, die sich für die Seminar Reise nach Lanzarote angemeldet hat, ohne mich zu kennen. Es hat mich sehr berührt und erfreut, denn ich weiß, was es für sie bedeutet hat, das zu tun.

Ich weiß, dass sie ein paarmal den Text durchgelesen hat, dass sie sich gefragt hat ob sie das wirklich kann und schafft und sie hat trotzdem gehandelt. Und das macht sie und auch dich kraftvoll. Trotz Angst und Bedenken zu handeln.

Weil ich möchte, dass mehr Frauen Mutausbrüche haben, verrate ich dir hier meinen Trick dafür.

Also wenn mir nicht mein süßer Hintern auf Grundeis geht, dann ist es kein Schritt aus meiner Komfortzone. Es muss mir auf irgendeine Art den Atem nehmen. Aber richtig. Mein Verstand muss mir sagen, dass ich verrückt sein muss, überhaupt darüber nach zu denken. Dann bin ich richtig.

Warum, fragst du?

Wir alle spüren genau, wenn uns etwas entspricht. Wenn es uns mit neuen Möglichkeiten verbindet. Es uns die Chance bietet wirklich in unser Selbstvertrauen, den Selbstwert und die Selbstliebe zu wachsen.
Und ich möchte das „immer-wieder-mich-ausdehnen". Wenn ich das will, dann MUSS ich meine Komfortzone überschreiten.

Übrigens: Jeder Schritt aus der Komfortzone ist immer von Befürchtungen, Zweifel oder sogar Panik begleitet, sonst wäre es kein Schritt raus!

Logisch? Logisch.

Falls du jetzt glaubst „Jaaaaaa die Ilona, die schafft das….aber ich nicht." dann lies den Text noch einmal von vorn.

Ja, ich kann deine Energie halten. Und damit wird die Wahrscheinlichkeit sehr groß, dass du mit meiner Unterstützung einen Fortschritt für dich und dein Leben hinbekommst.

Du kannst aber auch einfach gleich heute damit anfangen und das eine Ding tun, das du schon länger vor dir her schiebst. Du weißt schon was...

Lass uns mit Mutausbrüchen die Welt besser machen.
Es ist eine richtig gute Zeit dafür.

Das sind meine Gedanken dazu:

_____

_____

_____

_____

_____

_____

_____

_____

_____

_____

_____

_____

Das Geheimnis von "Ich bin"...

Gerade komme ich vom Spaziergang mit meinen Hund zurück. Erst war strahlender Sonnenschein und dann hat uns der Regen so überrascht, dass wir richtig rennen mussten…

„Puh, ich bin fertig…", dachte ich beim Mantel ausziehen.

Was? Stop! Was war das?

„Ich bin" ist eine sehr mächtige Aussage. Vielleicht die mächtigste überhaupt…

Dass die Aussage so mächtig ist, habe ich vor vielen Jahren von einem sehr weisen Mann zum ersten Mal gehört. Es fühlte sich damals sehr stimmig für mich an. Das hat mich dazu gebracht, dass ich sehr aufmerksam wurde, was ich hinter „ich bin…" sagte.

Ich höre seitdem nicht nur mir genau zu, sondern auch anderen. Meine Beobachtung aus vielen Jahren lauschen sind eindeutig: Die Aussage ist sehr mächtig!

- Ich bin ja blöd
- Ich bin schüchtern
- Ich bin voller Angst
- Ich bin langweilig

Sei dir bewusst, was du hinter „ich bin" manifestiert, ähm …sagst.

Ja, auch wenn es nur so zum Spaß ist.

Ich habe aufgehört solche Sachen zum Spaß zu sagen, denn es macht keinen Unterschied. Wenn ich etwas oft genug zum Spaß sage, dann glaube ich es auch irgendwann mal.

Falls du es interessant findest, dann erforsche es einfach mal selbst.

Ich liebe es ja, wenn ich solche Dinge für mich erforsche und dann meine Meinung dazu habe (und die manchmal in die Welt hinaus posaune).

Falls dich das gar nicht anspricht, dann ist alles gut. Mach dir keinen Kopf! Dann ist das gerade nicht dein Thema.

Das sind meine Gedanken dazu:

_____

_____

_____

_____

_____

_____

_____

_____

_____

_____

_____

_____

_____

_____

_____

_____

_____

_____

_____

_____

_____

Mutter ohne Führerschein

Ich wünsche dir mehr Stabilität und Fülle in deinem Leben.

In den letzten Wochen ist mir genau das Thema öfter unter gekommen. Mehr als eine Frau saß vor mir und es war deutlich zu erkennen: Es fehlt ihr an Stabilität und Fülle. Und das meine ich nicht nur äußerlich.

Es tut mir persönlich leid und weh, wenn ich sehe wie sehr wir Frauen uns selbst beschneiden.

Ich habe es schon bei meiner Mutter gesehen. Sie war eine ungeheuer praktische und engagierte Frau, aber sie hat sich nicht getraut einen Führerschein zu machen. Weißt du warum? Weil mein Vater im Auto nicht neben ihr auf dem Beifahrersitz sitzen wollte! Das hat er ihr deutlich gemacht und aus war es. An ihrem Lebensende war sie traurig und verbittert.

Und die Moral von der Geschicht?
Du kannst nicht dem Weg ANDERER folgen und erwarten, dass du dabei an DEINEM Ziel ankommst.

Wenn du Herzenswünsche hast – und den einzigen Kompass ignorierst, der dir den Weg wirklich zeigen kann – nämlich dein Herz, deine Intuition – dann sag mir wie du glaubst, dass du jemals leben kannst, wovon du träumst?

- Wenn du wieder und wieder ignorierst, was stimmig für dich ist?
- Wenn du wieder und wieder zurücksteckst?
- Wenn du dich kleiner machst als du bist?
- Wenn du als jemand auftrittst, der du nicht sein möchtest
- Wenn du wieder und wieder jemand bist, der du nicht sein willst und auch niemals warst
- WENN du dir die Erlaubnis geben würdest, einfach DU in der Version zu sein, in der du dich frei, leicht und unbeschwert fühlst

Sonst wirst du wieder feststellen, dass du dich im Kreis gedreht hast. Das sich die Dinge wieder schwer anfühlen. Statt leicht. Es wird immer etwas geben, was du glaubst tun oder lassen zu MÜSSEN!

Und die Idee, dass sich die Dinge von alleine ändern, wird der ewige Trug-schluss sein.

Schluss mit Wischi Waschi

- „Ich will ja, aber ich weiß nicht wie..."
- „Soll ich denn wirklich?"
- „Ach wo kriege ich nur die Zeit her?"
- „Ist es denn das Geld wert?"

Dabei hast du es selbst in der Hand. Du bist golden und bist selbst der Schlüssel.

Das sind meine Gedanken dazu:

_____

_____

_____

_____

_____

_____

_____

_____

_____

_____

_____

_____

_____

_____

_____

_____

_____

_____

Stimmt mit dir etwas nicht?

Heute verrate ich dir eine innere Haltung, eine Lebenseinstellung, die mir in den letzten Jahren am meisten geholfen hat.

Ich bin auf die Idee gekommen darüber zu schreiben, weil letztens eine Klientin da war und wir beide bemerkt haben, wie wichtig und erleichternd diese Einstellung ist.

Was war passiert?

Sie hatte gerade eine Woche ihre Wohnung aufgeräumt und war beschämt, dass sie so viel Zeugs angesammelt hatte. Sie konnte nicht fassen wie viele Putzlappen, abgelaufene Konserven und unbequeme Schuhe sie gehortet hatte. Ernsthaft, so was macht eindeutig keine tolle Frau. Jeden Abend hatte sie säckeweise Überflüssiges zum Abtransport.

Kurz: Sie fand, dass mit ihr was nicht stimmt. Sie müsste ganz anders sein, als sie ist. „Reparatur!!!", schrie etwas in ihr.

Sie hatte sich schon einige Tage mit diesen Gedanken im Kreis gedreht, bevor wir darüber sprechen konnten. Und ich musste ihr liebevoll lächelnd sagen: So nicht, so gibt es keinen Fortschritt.

Aber wenn sie hier, an dieser Situation, ansetzt und sich mit allem Drum und Dran, mit aller Scham, Frust und Verurteilung akzeptiert, dann hat das Einfluss auf alle anderen Lebensbereiche.

Selbstakzeptanz ist das Zauberwort

Heißt ‚dass sie einfach so weiter machen kann? Nein das heißt es nicht.

In dem Moment, in dem du dich akzeptierst und liebevoll behandelst, statt auf dich ein zu schimpfen, wirst du dich ganz automatisch zu einem glücklicheren, selbstbewussteren Menschen entwickeln.

Wende dich liebevoll den Gefühlen zu, die du weghaben willst. Schenke deinen Phasen in denen es dir nicht gut geht deine Liebe und Zuneigung.

Erlaube dir .... zu sein

Ein ehrliches: „Ja, so bin ich jetzt.", in diesem Moment bedeutet nicht, dass du so bleibst.

So lässt du langsam los, was dich schon immer zurückgehalten hat – den Glauben nicht gut genug zu sein. Auf diese Weise dämmerte meiner Klientin, dass sie in einer Woche wunderbares vollbracht hatte.

Keine Reparatur sondern einen Neustart!

Das sind meine Gedanken dazu:

_____

_____

_____

_____

_____

_____

_____

_____

_____

_____

_____

_____

_____

_____

_____

_____

Weisst du, was dir Energie raubt?

Als junge Frau wusste ich alles, was man wissen muss, um mich unerfüllt, traurig und energielos zu fühlen. Ich kannte unzählige verschiedene Wege, um vor mir selbst wegzulaufen, mich in meine Traumwelt zurückzuziehen, gegen die Welt zu kämpfen, Pläne zu verfolgen, die von Anfang an zum Scheitern verurteilt waren usw.

An diese Zeit kann ich mich lebhaft erinnern. Ich war ständig am Limit meiner Kräfte. Und ich bin sicher, du hättest diese Frau von damals nicht gemocht. Zu unsicher, zu verwirrt.

Irgendwann war mir klar: Ich musste einen Schritt weitergehen.

Heute sieht mein Leben ziemlich anders aus. Ich ruhe in mir selbst, habe nicht das Gefühl Kompromisse zu machen, mit denen ich nicht leben kann. Ich habe nicht das Gefühl mich verkauft zu haben oder dass das Leben mir übel mitspielt. Die Basis für Glück ist eine Entscheidung und dann die Kunst konsequent auf dem Weg zu bleiben. Ich spreche aus Erfahrung, wenn ich sage, dass ein „hin und her" echt kontraproduktiv ist. Man kann es auch Ambivalenz nennen.

Es geht dabei um das Gefühl der Unentschlossenheit:
* gehen - bleiben
* etwas tun – etwas nicht tun
* etwas sagen – etwas nicht sagen
* für mich einstehen – mich wieder aufgeben
* in sich investieren – an sich sparen

Vor einigen Wochen war Charlotte, eine so liebenswerte Frau, bei mir. Sie ist begabt, beliebt und hat einen erfüllenden Beruf, aber das Getöse in ihrem Kopf über das, was sie glaubt tun zu müssen – nahmen ihr zunehmend die Freude und die Leichtigkeit. Immer wieder sehe ich, wie es vielen wunderbaren Frauen ähnlich geht. Es geht auch anders: Im Gespräch erkannte Charlotte, dass ihre bisherige Denkweise sehr limitiert, begrenzt, war. Und ihr größtes Hindernis, was ihr bisher im Weg stand, waren die Umstände.

Wie oft hatte sie gesagt: „Ilona ich weiß dass mir das Seminar gut tun würde, aber ich kann nicht weil ich....."

Wie oft hast du dich selber schon sagen hören: "Ich würde gern, aber ich kann nicht, weil....".

Alles was dann als Begründung kommt sind Umstände.
Umstände können in deinem Leben mehr als einen Umweg verursachen. Deshalb solltest du ihnen niemals erlauben, dich vom Treffen wichtiger Entscheidungen für dein persönliches Glück abzuhalten.

Wir müssen oft loslassen was uns lieb geworden ist. Ein Projekt, eine Gewohnheit, einschränkende Überzeugungen und fixe Ideen. Z.B die Idee, dass du auf alles selber kommen musst, sonst ist es nicht gut. Oder: Dass es die Zeit schon bringen wird, oder, oder, oder...

Viele Menschen sind chronisch unwillig, sich der Herausforderung des Loslassens zu stellen. Wie ist das bei dir?

Willst du deinen persönlichen Weg zu innerem Frieden und Glück wirklich gehen, nimm Hilfe an, nimm deine Chancen wahr, triff echte Entscheidungen und geh, auch bei inneren oder äußeren Widerständen.

Das sind meine Gedanken dazu:

_____

_____

_____

_____

_____

_____

_____

_____

_____

_____

Bist du die 08/15 Version?

Spürst du den Moment, wenn es Zeit ist einen Schritt weiter zu gehen?
Zögerst du dann und krause Gedanken machen sich breit?
Weiß ich überhaupt was ich will?
Jetzt passt es gerade nicht.

Selbstzweifel sind richtig giftig und sie haben unterschiedliche Gesichter.

- Perfektionismus, alles muss getan sein bevor du dich bereit fühlst
- Aktionismus, ich habe einfach keine Zeit für mich selbst
- Überforderung, ich weiß nicht wie ich noch Zeit für mich unterbringen soll
- Selbstsabotage, plötzliche Hindernisse stellen sich in den Weg
- Ablenkung, es gibt so viele andere interessante Dinge
- Abwertung, bei mir klappt das nicht
- Besser ich passe mich an, sonst bekomme ich Ärger

Kennst du das? Ich kenne diese Themen von meinen Klienten nur zu gut. Sie verbringen so viel Zeit damit, sich auszumalen, warum etwas nicht funktioniert, als damit, was an Veränderung möglich sein könnte.

Oder sie denken: Ach das bisschen, das schaffe ich doch auch alleine. Um dann in zwei Jahren immer noch am gleichen Fleck zu stehen.

Das Ding ist: Bei all dem Denken und Tun: Sind die Dinge, die du so denkst wirklich stimmig? Tust du vieles in deinem Leben nicht eher „an dir selber vorbei"? Haben all deine krausen Gedanken wirklich mit deinem tiefen Wesen zu tun oder spiegeln sie nur was der Durchschnitt so denkt?

Nimm an, wer du wirklich bist. Übernimm Verantwortung für dein Sein. Es ist einzigartig, du bist einzigartig. Weil du ein Geschenk für die Welt bist.

Es ist wunderbar, dass du ANDERS bist. Anders tickst. Und etwas anderes denkst, fühlst und willst als der Durchschnitt.

Du kannst nicht der Denke, den Werten oder Ängsten anderer folgen und erwarten, dass du dabei in deinem Glück ankommst.

Es gibt wirklich keinen plausiblen Grund, deine wertvolle Lebenszeit weiter damit zu verschwenden. Denn es wird sich für dich immer wieder falsch anfühlen. Unecht. Krampfig. Hohl. Sinnlos und sterbenslangweilig.

Es ist in Ordnung, völlig in Ordnung, mehr zu wollen, als die tausendste 08/15 Version sein zu müssen.

Ist es nicht längst auch für dich an der Zeit, drauf zu husten, was du tun solltest, um ein pflegleichtes Mitglied deiner Familie oder der Gesellschaft zu sein? Stattdessen damit zu beginnen du selbst zu sein, echt zu sein und zu wachsen. Weil genau das deine Seele glücklich macht. Weil es das ist, was dich erfüllt.

Ich helfe dir den inneren Schalter umzulegen, den Weg von Innen nach Aussen zu gehen, so dass es dir unmöglich wird, dir selber im Weg zu stehen.

Es wäre genial, oder etwa nicht? Das Ding ist, momentan entspricht wenig davon deiner gelebten Realität. Nun es ist wie es ist. UND du kannst es ändern. Noch heute.

Das sind meine Gedanken dazu:

_____

_____

_____

_____

_____

_____

_____

_____

_____

_____

Die Freude im Mülleimer

Was macht deine Freude? Spring und hüpft sie durch die Welt oder hat sich deine Freude gerade im Mülleimer verkrochen?

Auch wenn ich es nicht immer dazuschreibe oder es nicht so offensichtlich ist, meine Impulse drehen sich meistens um Freude.

Denn wenn wir uns selbst besser kennenlernen und uns in unserer Einzigartigkeit immer mehr annehmen, dann kommt Freude auf. Dann erinnern wir uns endlich immer mehr an das, was wir wirklich sind: Wundervoll und außergewöhnlich.

Heute will ich noch einen Impuls dazu geben.

Ja es ist wichtig, dass wir erkennen wie wir ticken. Was aber dazu führen sollte, dass wir uns fragen sollten, wie wir damit unsere Ziele erreichen. Das Ziel, dass wir uns immer mehr selbst erkennen und uns an unsere Größe erinnern zum Beispiel. Oder hast du diesen Wunsch nicht?

Den Wunsch schon, aber Ziele sind doof?

Dann verändere als erstes deinen Blick auf Ziele.
Ziele sind nichts anderes als deine Vereinbarung für dein inneres Sehnen, deinen Wunsch. Ein guter Kumpel, die beste Freundin deines Sehnens, wenn du so willst.

Lass es bitte in deinem Leben nicht zu, dass du deine Einzigartigkeit als Ausrede dafür nimmst, weiter klein zu spielen. Es ist immer deine Entscheidung, ob du ein altes Spiel weiterspielen willst oder es veränderst. Zum Beispiel indem du deine spezielle Art dafür nutzt, dir Ziele zu setzen und sie anzugehen.

Nutze deine Art zu sein nicht als Ausrede, dass es bei dir eben nicht geht. So ist es nicht gedacht und außerdem kommt so bestimmt keine Freude auf! Wahre Freude kommt auf, wenn wir immer mehr unser inneres Potential leben.

Das bedeutet, dass wir uns genau dafür aus ganzem Herzen verpflichten. Auch wenn du findest, dass das Wort „Verpflichtung" eines deiner Gruselwörter ist. Meines war es jahrelang!

Wie ist es, wenn du sagst diese Verpflichtung hat etwas davon dein wahres Wesen wach zu küssen? Ist das dann noch gruselig?

Das sind meine Gedanken dazu:

_____

_____

_____

_____

_____

_____

_____

_____

_____

_____

_____

_____

_____

_____

_____

_____

_____

_____

_____

Der wichtigste Unterschied ist...

Heute geht es um etwas sehr Spannendes.

- Etwas, das den Unterschied ausmacht, ob dein Glück, deine Authentizität, deine Selbstliebe wahr werden oder nicht.
- Etwas, das sehr viel mehr bestimmt wo dein Leben hingeht, als jede Blockade, die du meinst zu haben. Sehr viel mehr.
- Etwas, das darüber bestimmt, ob dein Leben sich immer mehr in die Richtung bewegt, die du dir wünschst oder nicht.

Dieses Etwas heißt Kommittment.Verantwortung.

Für mich lange Jahre ein schreckliches Wort. Ich wollte alles, aber nur keine Verantwortung. Auf mir lastete schon so viel emotionale Verantwortung für das Wohlergehen meiner Eltern.

Verantwortung. Allein das Wort verursachte mir Brechreiz. Frei wollte ich sein, frei von jeglicher Verantwortung. Ein Unterschied zu meinem Leben war mir gar nicht bewusst.

Verantwortung übernehmen für das eigene Leben und seine Ergebnisse. Zum eigenen Wort stehen, vor allem dir selbst gegenüber.

Viele Frauen stehen hauptsächlich anderen gegenüber zu ihrem Wort, aber nicht sich selbst gegenüber.

Wie oft hast du dir etwas vorgenommen und es dann nicht getan? Genau das heißt, dass du nicht zu deinem Wort gestanden bist.
Was es dir selbst unbewusst mitteilt, ist, dass DU DIR nicht vertrauen kannst, weil du eben nicht zu deinem Wort stehst. Da nutzen dann all die gelesenen Bücher und Gedanken nichts.

Denn es zählt immer das TUN.

Also ganz konkret zu deinem Wort stehen, gerade weil nur du es merkst, wenn du es nicht tust!

Was wäre, wenn du immer zu deinem Wort stehen würdest? Oh je? Klar kannst du dein Wort dir gegenüber verändern. Aber bewusst und geplant. Das ist der Unterschied.

Nicht als Ausrede, weil die alten Gewohnheiten stärker sind als der innere Wille. Weil es leichter ist, es einfach zu vergessen was du eigentlich machen wolltest.

Wo würdest du in 12 Monaten stehen, wenn du zu deinem Wort stehen würdest? Nimm dir etwas Zeit und reflektiere darüber.

Und auch darüber, welche „Versprechen" du dir in Zukunft geben willst. Schau ruhig dein ganzes Leben, alle Bereiche an. Wir sind ganzheitliche Wesen. Wie wir eins machen, machen wir alles.

Die Zeitqualität ist gerade perfekt dafür. Es geht darum aufzuräumen. Innen. Gib dir Versprechen, die für deine Entwicklung am wichtigsten sind!

Das sind meine Gedanken dazu:

_____

_____

_____

_____

_____

_____

_____

_____

_____

_____

_____

_____

_____

Eigenlob stimmt

Es gibt kaum etwas Unangenehmeres als die Gegenwart von Menschen, die jede Minute dazu nutzen, um dir zu zeigen, wie großartig und besonders sie sind. Solche Menschen reizen mich dazu, sie auf die Schippe zu nehmen. Mich interessiert nicht, was sie haben und können, mich interessiert wer sie wirklich sind.

Doch eine andere Art von Eigenlob halte ich für sehr förderlich.

Und zwar das Eigenlob genau für uns selbst. Es ist extrem wichtig für unsere Selbstliebe, unser Handeln entsprechend zu würdigen.

Doch oftmals sind wir uns selbst der stärkste Gegner. Wir können uns nur bei absoluter Topleistung einmal zu einem anerkennenden Nicken durchringen. Zu mehr nicht.

Als das erste Buch von mir und einer Kollegin von einem namhaften Verlag angenommen wurde, brachte ich nur ein knappes: „Hab ich doch gleich gesagt." über die Lippen. Traurig.

Doch wieso?

Haben wir Angst, dass wir bei zu viel Lob zu stolz oder zu faul werden? Ich glaube, wir haben den Spruch „Eigenlob stinkt" von anderen übernommen und ein wenig zu resolut in unser Leben integriert.

**Sei doch einmal frank, frei und ehrlich: Du machst gute Dinge. Ich mache gute Dinge. Jeden Tag. Jeden Tag so gut wir können.
Wir wollen jeden Tag das Beste für uns. So gut wir es eben können.**

Dafür ist es gut, uns jeden Tag Respekt zu zollen. Klar bauen wir manchmal auch Mist, dann sollten wir das nicht schön reden oder unter den Teppich kehren. Aber wieso üben wir uns in solchen Situationen nicht lieber in Mitgefühl und gewöhnen uns an, in den restlichen Fällen mehr über die Lippen zu bringen, als ein knappes Lächeln.

Das mag sich zu Beginn etwas komisch anfühlen – das liegt aber nur daran, dass wir einen liebevollen Umgang mit uns selbst bisher viel zu wenig gewohnt sind.

Wie wäre es, wenn du deine positiven und mitfühlenden Selbstgespräche auf ein neues Level hebst?

Das sind meine Gedanken dazu:

_____

_____

_____

_____

_____

_____

_____

_____

_____

_____

_____

_____

_____

_____

_____

_____

_____

_____

_____

Der Konflikt mit dem "Nein"

Kennst du das auch?

Du hast dir fest vorgenommen, dieses Mal eine Grenze zu setzen und endlich „NEIN" zu sagen:

- Vielleicht bittet dich dein Chef um Überstunden
- Deine Schwester möchte deine beste Jeans ausleihen
- Du hast keine Lust auf eine langweilige Verabredung

Vor allem im Job, aber auch in der Familie oder im Freundeskreis können viele Menschen nicht NEIN sagen. Es gibt so viele Situationen, in denen wir uns ausgenutzt und schwach fühlen – und trotzdem gehen wir nicht entschieden genug dagegen vor.

Wir wollen eigentlich NEIN sagen, aber es kommt uns schier nicht über die Lippen, sondern wir pressen eine Zustimmung hervor. Hinterher ärgern wir uns und erledigen das Zugesagte nur missmutig. Und manchmal müssen wir sogar ernsthafte Konsequenzen in Kauf nehmen, weil wir es verpasst haben, im richtigen Moment NEIN zu sagen.

Eine Klientin erzählte mir dazu einen echten Extremfall:

Sie war voller Zweifel, ob sie den Mann, mit dem sie seit einem Jahr zusammenlebte, auch heiraten sollte. Aber der Termin war festgesetzt und die Gäste eingeladen. Sie spürte keine Möglichkeit, noch NEIN zu sagen.

Am Hochzeitsmorgen ging sie zum Frisör und danach streifte sie ziellos durch die Straßen, voller Zweifel, ob die Heirat der richtige Schritt sei. Als sie knapp vor der Trauung zu Hause ankam, bekam sie dafür vom Bräutigam eine Ohrfeige und immer noch spürte sie keine Möglichkeit, noch NEIN zu sagen.

Was sollten ihre Eltern und Verwandte denn von ihr denken? Die Kosten für die Feier lagen ihr auch auf dem Gewissen.

Während der Trauung schaute sie aus dem Fenster des Standesamtes und spürte das NEIN so deutlich, dass es ihr fast den Verstand raubte, aber es war schon zu spät.

Ein Extremfall? Sicher.

Was du aber in der Erzählung merkst: Je höher der Druck wird, desto schwerer fällt es nein zu sagen. Das Datum, die anderen Beteiligten, die Scham, das Geld. Sie konnte nicht NEIN zu diesem Mann sagen, denn sie hatte Angst vor den Konsequenzen eines NEIN.

Es ist doch so: In vielen Fällen glauben wir, wir wären besser dran, wenn wir uns zurücknehmen und die Bedürfnisse und Wünsche anderer über unsere stellen.

Deshalb ist die Angst unser wahrer Gegner, wenn es um das „Nein!" sagen geht. Wir vertrauen uns einfach nicht genug, um mit den Konsequenzen unseres NEIN umzugehen. Wir denken, wir kommen nicht damit zurecht, den Konflikt auszuhalten. Konflikte sind in der heutigen Zeit ein rotes Tuch. Sie gelten als unangenehm und sollten möglichst vermieden werden.

Zuerst vermeiden wir tatsächlich einen Konflikt, wenn wir JA sagen. Es kommt zu keiner offenen Konfrontation. Doch unterschwellig? Da entstehen jede Menge Konflikte und Druck baut sich auf.

Dabei hat NEIN sagen zu können viele Vorteile:
Für deine gesunden Grenzen einzustehen, ist eine Lebenseinstellung. Du baust Selbstbewusstsein auf, denn du lernst dadurch, für dich einzustehen. Das erzeugt innere Stärke.

Um entspannt NEIN sagen zu können brauchen wir ein hohes Selbstwertgefühl und unsere Selbstliebe.

Das sind meine Gedanken dazu:

Was könntest du bereuen?

Weißt du, wie Menschen handeln, wenn sie sich dessen bewusst werden, dass das eigene Leben endlich ist und jederzeit vorbei sein kann?

Das ist nicht leicht, deshalb verdrängen manche das Thema lieber. Andere stürzen sich ins Vergnügen, um noch mitzunehmen was möglich ist. Ganz wenige machen sich endlich auf den eigenen Weg. Endlich.

Zu viele Menschen bereuen im Alter so Einiges. Kennst du die drei häufigsten Dinge?

Ich wünschte, ich hätte den Mut gehabt, mein eigenes Leben zu leben.
Mal ehrlich, die Meisten richten ihr Leben nach den Erwartungen anderer aus. Warum? Weil wir schon in der Kindheit auf Anpassung konditioniert wurden. Dann kommen oft die depressiven Verstimmungen, kein Wunder, wenn man nicht voll und ganz leben kann und darf.

Ich wünschte, ich hätte nicht so viel gearbeitet.
Das kennen wohl viele. Die Sicherheit nur im Materiellen zu suchen, haben wir von den Eltern gelernt. Schaffe, schaffe Häusle baue! Und was kommt oft dabei raus: Keine Freude mehr, die Beziehung Routine, die Gesundheit ruiniert. Alles belastet. Sinn entleert.

Ich wünschte, ich hätte den Mut gehabt, meine Gefühle auszudrücken.
Unterdrückte Gefühle, ungelebte Liebe. Zu oft gerät es in Vergessenheit, auf seine Gefühle zu vertrauen und zu ihnen zu stehen.

Mich machen diese Gründe tieftraurig. Und vor meinem Auge sehe ich viele Menschen, denen es genau so ergangen ist. Sie haben zu lange damit gewartet das Ruder noch rum zu reißen. Mein Vater, meine Mutter, frühere Klienten.

Aus der Angst, etwas Gewohntes zu verlieren, halten die meisten Menschen an Dingen fest, die schon lange, lange leer sind. Anstatt hinzuschauen wie das Leben viel positiver aussehen könnte.

Und du?
Schießt du dir selber in den Fuß?
Oder lebst du schon dein Leben, das du liebst, das dich erfreut?

Das sind meine Gedanken dazu:

_____

_____

_____

_____

_____

_____

_____

_____

_____

_____

_____

_____

_____

_____

_____

_____

_____

_____

_____

_____

_____

_____

Komm in die Klarheit

Schnäppchen Zeit. Modern nennt man es MidSeason Sale.

Mir geht es damit so: Wenn ich ohne Klarheit in die Stadt shoppen gehe, komme ich mit Taschen voller Zeug nach Hause, das ich nicht wirklich brauche. Hinterher habe ich ein schlechtes Gewissen oder miese Laune. Kennst du das?

Ich habe plötzlich ein Teil das farblich nicht zum Rest meiner Garderobe passt, Schuhe die zu eng sind oder meine 5. Geldbörse.

Was ist geschehen, dass ich solchen Unsinn kaufe? Ich war ohne Klarheit shoppen.

Andere hatten hingegen sehr klar, was sie wollen:
Die Verkäuferin, der die gelbe Jacke so an mir gefiel, der Inhaber des Schuhhauses, der für den Resteverkauf geworben hat und die Kassiererin, die einfach überzeugt war, dass ich so eine tolle Geldbörse nicht noch einmal finden würde.

Sie alle waren in ihrer Absicht klarer als ich, sie wollten mir etwas verkaufen.

Klarheit bedeutet, hellwach und bewusst zu handeln und in die Welt zu schauen. Dir darüber klar zu sein, was du willst und tust, das versetzt dich in eine hohe Präsenz. Dann bestimmen nicht andere über dein Leben, sondern du.

- Wie klar bist du wenn es um andere Menschen geht?
- Wie leicht kann man dich blenden?
- Wie schnell durchschaust du Menschen, die mit dir eine Absicht verfolgen?
- Für welche Tricks bist du anfällig?

Übrigens, die Synonyme für das Wort Klarheit sind: Leuchten, Helligkeit, Ausdruckskraft, Aufrichtigkeit und viele mehr.

- **Komm in die Klarheit**
- **Komm in deinen Selbstwert**
- **Komm in dein persönliches Leuchten**

Das sind meine Gedanken dazu:

_____

_____

_____

_____

_____

_____

_____

_____

_____

_____

_____

_____

_____

_____

_____

_____

_____

_____

Was tun, wenn du total down bist?

Vor einiger Zeit bekam ich eine Mail von einer ehemaligen Teilnehmerin. Sehr lange hatte ich nichts von ihr gehört, aber öfters an sie gedacht.
Nach den ersten Sätzen wurde mir ganz flau im Magen, denn diese Mail barg es in sich.

Das Schicksal hatte so richtig zugeschlagen. Sie war inzwischen geschieden, hatte ihren Job verloren und als ob das nicht schon genug wäre: Sie hatte eine schwere Krankheit.

Ich schnappte nach Luft und musste für einen Moment aus dem Fenster sehen, bevor ich weiterlesen konnte. Doch was ich dann las überraschte mich total: Sie war super drauf!!!

Sie beschrieb, wie sie zuerst auch den Kopf in den Sand stecken wollte. Doch dann fielen ihr unsere Gespräche über Lebensentscheidungen ein und sie begann etwas anzuwenden.

- Sie entschied sich, trotzdem den Lebensmut nicht zu verlieren
- Sie entschied sich, sich trotzdem zu mögen, obwohl so viel schief lief
- Sie entschied sich etwas zu tun, anstatt zu jammern

Ich war baff und empfand spontan so viel Bewunderung, ja Hochachtung für sie. Genau hier liegt der riesige Unterschied zwischen Menschen, die das Leben in die Hand nehmen und denjenigen, die unter dem Leben leiden.

Du kannst eine Entscheidung für dich und für das Leben treffen, immer – und zwar egal was gerade im Außen passiert. Das ist Selbstliebe, sie macht zufrieden und glücklich.

Stattdessen folgen viele Menschen oberflächlichen „Tipps &Tricks", lesen Ratgeber über alles Mögliche. Kann man schon machen, führt nur zu nichts.

Manche tun auch mehr vom Falschen und denken irgendwann wird sich schon was ändern.

Die entscheidende Frage ist: Willst du Veränderung, willst du wirklich mehr Selbstliebe? Oder steht eine liebevolle Beziehung zu dir dann doch an Stelle 289 deines Lebens?

Was hältst du von meiner folgenden Aussage: Das ganze Leben ist eine Prioritätssache!

Du entscheidest was dir wichtig ist und dafür hast du dann auch die nötige Zeit. Wenn du der Meinung bist, deine Entwicklung hin zu mehr Selbstwertgefühl und Selbstliebe ist dir richtig wichtig, kannst aber nie die Zeit dafür finden. Was ist dann?

Dann habe ich eine harte Wahrheit für dich:
Es ist dir einfach nicht wichtig genug. Das ist auch gar kein Problem. Nur darfst du dich dann nicht beschweren, dass es dir schlechter geht als du es gerne hättest. Eine ganz einfache Rechnung.

Triff jetzt die Entscheidung, dass dir deine Entwicklung am wichtigsten ist!

Das sind meine Gedanken dazu:

_____

_____

_____

_____

_____

_____

_____

_____

_____

_____

_____

_____

Wieso das Tun so schwer scheint

Weißt du, was ich witzig finde? Manchmal finde ich es auch tieftraurig, je nach meiner Tagesform.

Tja. Viele Menschen wollen sich entwickeln und etwas verändern. Sie checken absolut, dass nur ihre innere Entwicklung sie zu Zufriedenheit und Glück bringen kann.

Und trotzdem fallen fast alle an einem bestimmten Punkt wieder in ein Loch. Der Grund?

Sie hoffen, dass es irgendwann einmal „alles besser wird", wenn
- sie einen neuen Partner haben
- einen neuen Job, endlich die schöne Wohnung bekommen
- oder sie der Zufall glücklich macht.

Ist doch toll. Wo ist das Problem dabei?
Ganz einfach: Das klappt so nicht!

Natürlich, kurzfristig fühlt sich diese Träumerei wunderbar an und wir werden ein wenig vom eigentlichen Problem abgelenkt. Doch schneller als uns lieb ist stecken wir wieder im Alten fest.

Was glaubst du, warum?
Weil wir Angst vor dem TUN haben. Deshalb tut sich nichts.

In meiner Jugend habe ich mit Hingabe die Bücher von Erich Kästner gelesen: Drei Männer im Schnee oder die Feuerzangenbowle.

Und was sagte dieser weise und humorvolle Autor: „Es gibt nichts Gutes, außer man tut es!" Wie wahr, wie wahr.

Pack deine Entwicklung daher an.

Jetzt hast du ein Leben. Nutze es und genieße es. Mach das beste Leben daraus, was du kannst. Schüttle deine Beschränkungen und Hemmungen ab.

Ich bin dafür da, dich zu unterstützen.

Das sind meine Gedanken dazu:

_____

_____

_____

_____

_____

_____

_____

_____

_____

_____

_____

_____

_____

_____

_____

_____

_____

_____

_____

_____

Wer braucht Tiefsinn?

18

Schon als Jugendliche haben Menschen oft zu mir gesagt: „Du bist mir zu tiefsinnig" und sich abgewendet.

Ich blieb mit einer tiefen Traurigkeit zurück, weil ich mich nirgends so richtig zugehörig fühlte. Nur zu meinen Büchern.

Kein Wunder, dass mir mein Vater unbedingt dazu riet, Buchhändlerin zu lernen. In der Buchhandlung rissen sich die Kunden um meine Beratung, weil ich viele Bücher selber gelesen hatte und lebendig daraus erzählen konnte. Aber die Anzahl meiner echten Freundschaften war und blieb überschaubar. Und das ist auch heute noch so.

Gerade wenn ich auf die letzten zwei Jahre zurückblicke, habe ich das Gefühl, einem noch tieferen Sinn zu folgen und mich voll auf mich einzulassen. Dagegen ist das, was ich früher als „tiefsinnig" gelebt habe, vielleicht nur eine kleine Vorstufe gewesen. Vielleicht würden meine Jugendfreunde heute gar nicht mehr mit mir klarkommen. Wenn ich jetzt an sie denke, dann muss ich schmunzeln.

Dafür gibt es viele neue Menschen in meinem Leben – zum Beispiel dich. Du liest meine Impulse. Du willst hinschauen. Du willst Tiefsinn. Du willst Leben. Und dafür bin ich dir sehr dankbar.

In meinem Feld sind immer mehr Menschen, die hinschauen wollen, die wissen wollen, was ihr wahres Wesen ist, die Sehnsucht nach Authentizität haben. Für eine liebevollere Welt. Das berührt mich.

Lass uns gemeinsam hinschauen, was auf deinem Weg noch nicht rund ist. Wir lösen, was es zu lösen gibt. Und wir bauen deine Selbstliebe, deine Selbstakzeptanz auf. Das stärkt dich, es schützt dich und es schenkt dir Lebensfreude.

Wie ist es, wenn du deine Selbstliebe auf ein neues Level hebst? Dich innerlich näher auf deine Selbstliebe zu bewegst?

Das sind meine Gedanken dazu:

Der Nerv mit dem Ärger

Ärgerst du dich oft? So richtig doll, oder brummelst du deinen Ärger in dich hinein? Vielleicht im Auto, wenn dir jemand die Vorfahrt nimmt?

Als chronische Beifahrerin bin ich oft die Zuhörerin von regelrechten Ärgerattacken. Oder wenn du hörst, dass jemand schlecht über dich redet, dich reinlegen will.

Ja, wir ärgern uns öfter. Vielleicht sogar öfter, als wir es zugeben wollen. Ob nun zu Recht oder zu Unrecht ist hier nicht die Frage.

Die Frage ist vielmehr, wofür ärgern wir uns?
- Machen wir durch unseren Ärger das Geschehene ungeschehen?
- Ändern sich die Menschen, wenn wir uns über sie ärgern?

Natürlich nicht. Wenn wir uns ärgern, dann hat das einzig und allein auf uns Auswirkungen. Wir haben keine Ahnung, was im anderen vorgeht.
Merkt der überhaupt, dass wir uns ärgern? Ist dem das vielleicht egal?

Wenn ich an Ärger denke, dann fallen mir zwei Wörter dazu ein.
Berechtigt und unberechtigt. Für gewöhnlich sehen wir unseren Ärger als völlig berechtigt an. Schließlich läuft etwas nicht so, wie wir es uns vorgestellt haben oder für richtig befinden. Also, da muss man sich doch ärgern, sich Luft machen oder?

Was meinst du? Ärgern oder nicht? Dazu musst du aber erst mal wissen, wie genau dein Ärger entsteht. Oft fühlen wir uns persönlich angegriffen.
Wir fühlen uns durch die Worte oder das Verhalten des anderen verletzt, persönlich angegriffen oder respektlos behandelt. Hinter dem Verhalten des anderen vermuten wir etwas feindseliges, oder eine gemeine Absicht.
Nix Zufall, Absicht ist doch glasklar!

Kennst Du diese Gedanken?
- Der denkt wohl, ich bin blöd.
- Für wie dumm hält die mich eigentlich?
- Der hat kein Recht, so etwas zu sagen.

Nur warum fühlen wir uns persönlich angegriffen, gekränkt oder nicht ernst genommen,

- wenn uns jemand kritisiert?
- wenn wir im Geschäft nicht bedient werden?
- wenn jemand uns warten lässt?
- wenn der Partner mehr Zeit mit dem Hobby als mit dir verbringt?

Offensichtlich hat der andere einen Nerv, einen wunden Punkt getroffen. Welcher könnte es sein? Wir alle haben das starke Bedürfnis, anerkannt und gemocht zu werden. In der Kindheit von unseren Eltern, der Familie. Und jetzt wird es spannend: Wurde uns damals emotional Liebe gezeigt? Oder gab es nur Liebe gegen Leistung? Oder wurden wir nur materiell versorgt?

Das sind interessante Fragen. Mit Folgen für unser erwachsenes Leben. Denn das Bedürfnis nach Anerkennung ist umso größer, je weniger wir damals Selbstliebe und Selbstwertgefühl aufbauen konnten. Je weniger wir in der Kindheit gespürt haben, dass wir etwas wert sind, umso leichter fühlen wir uns angegriffen, bedroht und verletzt und umso schneller unterstellen wir anderen, sie behandeln uns mit Ansicht respektlos. Und ärgern uns. Manchmal Stunden...

Das muss nicht so bleiben. Du kannst deine Selbstliebe, deinen Selbstwert aufbauen. Das stärkt dich, es schützt dich und es schenkt dir Lebensfreude.

Das sind meine Gedanken dazu:

_____

_____

_____

_____

_____

_____

_____

_____

20

Kennst du deine Lieblingsausrede?

Wir alle benutzen von Zeit zu Zeit Ausreden und meistens kommen sie uns recht geschmeidig über die Lippen.

Manchmal liegt es daran, dass wir etwas tun müssen, was wir nicht tun wollen. Oder dass wir etwas tun möchten, was wir uns innerlich nicht erlauben können. Dann kommen die Ausreden als handfeste Gründe daher. Und mit den Gründen ist es dann so, dass du sie glaubst, ganz fest.

Inzwischen ist es sogar erwiesen das 98 % der Gründe, die Menschen benutzen, verkleidete Ausreden sind. Ist das nicht eine erschreckende Zahl?

Jedenfalls: Die Gewohnheit mit den Ausreden beginnt recht früh. Erinnerst du dich daran, welche Ausreden du erfunden hast, weil du deine Hausaufgaben nicht gemacht hast?

Aber jetzt bist du erwachsen und diese Gewohnheit beginnt fiese Auswirkungen zu haben. Heutzutage zögerst du manches hinaus und verschiebst Dinge.

Oftmals liegt die Ursache für Ausreden auch in einem Mangel an Orientierung: Du weißt einfach nicht, was du wirklich willst. Deswegen zögerst du und verschiebst die Entscheidung, damit du keine falsche triffst. Aber das ändert nichts daran, dass du dann immer noch nicht weißt, was du willst, stimmts?

Oder es liegt an der Angst vor dem Besseren. Das kann durchaus das glücklichere neue Lebensgefühl sein oder die neue Freude am Leben.

So seltsam es klingt, da bleibt lieber alles beim Alten. Ganz schön traurig nicht?

Um ohne Ausreden oder sogenannte triftige Gründe entscheiden zu können, brauchen wir gutes Selbstwertgefühl und unsere Selbstliebe.

Das sind meine Gedanken dazu:

21

Hilfe, das Leben soll einfacher sein!

Also ich kenne diesen Hilfeschrei.

Ich hätte es dann gerne so schön sortiert. Eines nach dem Anderen. Nicht querbeet und mitten rein. Das was dir und mir Tag für Tag serviert wird, egal ob im Business oder im Privatleben, das erscheint uns so unglaublich komplex und kompliziert, dass wir einfach oft überfordert sind.

Du siehst den Wald vor lauter Bäumen nicht, triffst voreilige Entscheidungen oder gar keine, beginnst nie, etwas zu verändern, traust dich nicht das Hamsterrad zu verlassen, in deinem Leben mal gegen den Strom zu schwimmen oder dich so richtig mal was zu trauen.

Und meistens liegt es daran: „Die Dinge sind eben nicht so einfach!"

Das hört man ja auch von allen Seiten. Die Freundin stöhnt es, die Kollegin, wenn sie überfordert ist. Und in uns drin gibt es eine starke Stimme, die das gleiche sagt:„ Das ist alles wirklich kompliziert"

Spannend ist aber eine große Erkenntnis. Ich liebe spannende Erkenntnisse! Die meisten sind nämlich nicht nur spannend, sondern unglaublich erleichternd.

Stell dir vor: Du hast im Leben tatsächlich nur zwei Probleme.

Nein, ich bin nicht übergeschnappt: Nur zwei. Mehr sind es nicht. Ich muss lachen, denn ich sehe deinen zweifelnden Blick direkt vor mir. Und deine Gedanken: „Ilona, du kannst doch gar nicht wissen, wie viele Probleme ich im Leben habe. Du kennst mich doch nicht." Ich bleibe cool und lächle.

Du hast tatsächlich nur zwei Probleme. Und die lauten wie folgt:
*   Problem 1: Ich habe etwas, das ich nicht will.
*   Problem 2: Ich will etwas, was ich nicht habe.

So, bitte lass das sich erst einmal setzen.

Egal welche Heerscharen von Problemen dir jetzt durch den Kopf gehen, jedes einzelne Problem fällt in eine der beiden Kategorien.

- **Ich habe etwas, was ich nicht will: Den Mann, der mich betrügt. Die Schwiegermutter, die mich nicht ausstehen kann. Die Arbeit, die mich auslaugt.**

- **Ich will was, was ich nicht habe: Einen Partner der mich wertschätzt, mehr Zeit für mich, mehr Selbstvertrauen, mehr Zufriedenheit und.. und.. und.**

Und genau diese Art von Erkenntnissen, verändert deine Denke von Grund auf. Nicht immer musst du in deinem Leben alles auf den Kopf stellen.
Lass es dir gut gehen.

Das sind meine Gedanken dazu:

_____

_____

_____

_____

_____

_____

_____

_____

_____

_____

_____

_____

_____

_____

22

Ein Silbertablett für dich

Meistens serviere ich die Dinge auf dem Silbertablett. Aber von vorne.

Ich sammle die Fragen und Probleme, die meine Klienten bewegen in meinem Herzen. Dabei höre ich immer wieder ähnliche Sorgen:

- Von zu wenig Geld auf dem Konto und Problemen mit dem lieben Geld
- Von zu viel Arbeit und zu wenig Zeit für „das Wesentliche"
- Von Angst
- Von dem Gefühl, sich einzugraben, statt vorwärts zu kommen.
- Von zu viel Rücksichtnahme auf Andere

Ich höre von all den Träumen, den Wünschen und Hoffnungen. Aber ich höre nicht nur zu, ich fühle das Potenzial meiner Klienten. All ihre vielen Möglichkeiten. Ich fühle, wie viel sich in ihrem Leben verändern kann. Und das Beste: Ich sehe ihre Entwicklung als eine der natürlichsten Sachen auf der Welt an.

Der einzige Grund, warum sich das nicht bewahrheitet ist:
- Das, was sie an Überzeugungen übernommen haben im Laufe der Jahre.
- Das, was sie entschieden haben zu glauben im Laufe der Zeit.
- Die einschränkenden Sichtweisen, mit denen sie schon viel zu lange KUSCHELN.
- Der ganze Kram, den sie sich täglich selber erzählen. Für wie lange eigentlich schon?

In kurz: Die Annahmen über das Leben. Worum geht es wirklich?

Darum, dass du anfängst, Klarschiff zu machen und gründlich aufzuräumen mit all den Stories, die dich kleinhalten, denn dann kommt dein Leben auf eine wunderbare Weise wieder in den Fluss. Aber Menschen zweifeln halt immer wieder. Oder klammern ewig an Altes, Überholtes. Und dann ziehst du phasenweise auch schrägen Kram an.

Solche Dinge passieren. Kennst du? Das dachte ich mir.

Das Ding ist, wenn du eine wirkliche Veränderung willst, langfristig und nachhaltig, dann brauchst du einen ENERGETISCHEN Shift. Viele solcher Shifts habe ich auf meinem Silbertablett. Nimm dir runter, welcher dir besonders gefällt. Aber nimm ihn.

Die Reise nach Kreta ist zum Beispiel ein ENERGETISCHER Shift. Am Ende der gemeinsamen Woche, auf der Insel der Transformation, wirst du eine klare Vorstellung davon haben, was du wirklich liebst, was bleibt und was du verändern darfst. Das wird sehr praktisch sein und Freiraum für Lebensfreude schaffen. Das kann ich dir 100 % versprechen.

Ich glaube an meine Arbeit und an das, was ich tue, um Menschen dabei zu helfen, sich zu verändern, zu wachsen und zu der Version ihrer selbst zu werden, die ihrem wahren SEIN entspricht.

Deshalb serviere ich dir das Silbertablett. Immer und immer wieder.

Das sind meine Gedanken dazu:

23

Halt die Klappe, du Gespenst!

Weißt du, was ich mir vorstellen kann? Dass deine Beziehung zu dir selbst momentan nicht ganz so liebevoll und akzeptierend ist, wie du es dir wünschst.

Ich kenne das nur zu gut von früher. Mir machte mein innerer Kritiker, das alte Gespenst, jeden Tag die Hölle heiß.

DING DONG
- „Du hättest es viel besser machen können!"
- „Die anderen finden dich total langweilig!"
- „Versuch gar nicht erst, mit ihnen in Kontakt zu kommen. Du machst dich nur lächerlich!"

Stimmts? Du kennst das alte Gespenst!

Sein größtes Hobby ist, dich klein zu halten und an dir herum zu kritisieren. Nichts war gut genug, was ich machte und sowieso war ich nicht schön genug. Das hatte es mir eingeredet und das glaubte ich total, das war in Stein gemeißelt. Wenn ich Lust hatte irgendwohin zu gehen, brachte es mich garantiert dazu, zu Hause zu bleiben. Warum: Ich war ja nicht schön genug. Unglaublich anstrengend und energieraubend, so von ihm kontrolliert zu werden.

Wie mich Nudeln mit Tomatensoße fast an meine Grenzen brachten.

Ich bin schon sehr früh von zu Hause ausgezogen und lebte damals in einem möblierten Zimmer. Zwar in einer traumhaften Altbauwohnung, aber eben nur in einem Zimmer mit Küchenbenutzung. Dort zu kochen war mir unangenehm. Das war immer ein Angang für mich. Die Zimmerwirtin hätte ja reinkommen können und mich für irgendwas zur Rede stellen. Also kochen und essen entwickelte sich langsam zum Albtraum.

Eines Tages wollte ich es wieder mal versuchen und kaufte im Supermarkt ein Paket Nudeln und Tomatensoße.

Noch in der Schlange vor der Kasse fragte ich mich, wie ich der Kassiererin wohl das Geld geben sollte:

- Augenkontakt halten oder nicht? Wenn ja wie lange?
- Sollte ich etwas sagen oder lieber schweigen?
- Ist das unhöflich oder normal?
- Sehen die armseligen Nudeln nicht aus, als wenn ich mich schlecht ernähre?

Als die Kassiererin mich fragte, ob ich den Betrag dafür nicht auch kleiner hätte, wühlte und zerrte ich nervös in meinem Geldbeutel, und „typisch ich" fielen die Münzen zu Boden. „Super Nummer!"

Natürlich verurteilte ich mich aufs Heftigste für meine Tollpatschigkeit. Ich wurde verlegen und lief rot an. Aus diesen und ähnlichen Gründen kämpfte ich ständig mit Selbstzweifeln und hatte null Vertrauen in meine Fähigkeiten. Ich wollte mich ja verändern, doch rutschte ich nach kurzer Zeit wieder genau dahin zurück, wo ich begonnen hatte. Immer wenn ich dachte, jetzt habe ich eine gute Zeit, kam ein Rückschlag mit nicht enden wollendem Spuk vom Gespenst.

Heute weiß ich: Das sind alles klassische Symptome eines niedrigen Selbstwertgefühls. Das sabotiert uns in allen Lebenslagen. Und das Leben wird unnötig schwer, eng und traurig.

Wie du dir sicher denken kannst – ein erfülltes, freies Leben fühlt sich anders an.

Irgendwann war meine Frustration so groß, dass ich mich aufmachte auf eine Reise zur Liebe, zu mir selbst. Auf dieser Reise habe ich Wunderbares erlebt: Vieles lässt sich auflösen – ohne dabei die ganze Welt auf den Kopf stellen zu müssen.

Mit dir ist nichts falsch.

Du hast bisher in deinem Leben einige ungünstige Erfahrungen gemacht und noch viel ungünstigere Schlüsse daraus gezogen.
Wenn du anfängst, eine liebevolle – und respektvolle Beziehung zu dir aufzubauen, können die wunderbarsten Dinge passieren.

Als ich damals an dem Punkt war, war ich ein wenig ängstlich und unsicher. Denn ich wusste ja nicht, ob mein Handeln überhaupt den gewünschten Effekt haben würde.

Im Laufe der Jahre habe ich viele Übungen ausprobiert.

Vor einiger Zeit habe ich die Schlüsselreisen entwickelt. Das sind 5 aufeinander wirkende Phantasiereisen, die Veränderungen schnell spürbar werden lassen. Du baust wieder bewussten Kontakt mit dir auf – die Grundlage für dein Selbstwertgefühl.

Und du wirst dich als liebenswertes Wesen erkennen.

Das sind meine Gedanken dazu:

_____

_____

_____

_____

_____

_____

_____

_____

_____

_____

_____

_____

_____

_____

_____

_____

_____

_____

Nichts ist ewig. Zum Glück!

24

„Nichts ist ewig auf dieser Welt, nicht einmal unsere Probleme."
Das hat Charly Chaplin gesagt. Und er hat recht.

Vielleicht sind deine Erfahrungen mit bestimmten Seiten deines Lebens nicht besonders prickelnd. Mag sein, dass du in Beziehungen immer wieder auf die Nase fällst, dass dir Geld nur so durch die Finger zu rinnen scheint. Oder dass der geliebte Käsekuchen sich sofort auf deinen Hüften manifestiert.

Das Ding ist – egal wie ungünstig deine Erfahrungen auch sein mögen und wie sehr du dich durch sie belastet und entmutigt fühlst … wenn sie die Basis neuer Entscheidungen werden und deine Erwartungshaltung bestimmen – dann wird deine Zukunft eine präzise Spiegelung deiner Vergangenheit sein. Autsch...weißt du theoretisch schon lange, das Wissen hat aber bisher nichts genutzt?

Lass uns mal schauen: Welche Überzeugung, die aus alten Erfahrungen entstanden sind, bewahrst du noch?

„Mir hört doch eh keiner zu und keiner weiß zu schätzen, was ich wirklich kann." Wie oft hast du versucht, den Schmarrn einfach wegzudrücken? Und er kam trotzdem immer wieder? Wegdrücken oder Nichtbeachten funktioniert einfach nicht wirklich.

Wichtig ist, dass du etwas ANDERES wählst, etwas, was du viel lieber als deine Wahrheit erleben würdest.

„Menschen hören mir genau zu – sie wissen mich zu schätzen und zeigen mir genau das täglich!"

Und das sagst du solange, bis sich deine neue Überzeugung wahrer als wahr anhört. Versteh mich bitte nicht falsch. Du wirst immer wieder in diese alten Gedankenschleifen fallen. Aber das ist kein Grund, zum Drama-Lama zu werden. Nimm es zur Kenntnis, denk dir „Was soll`s" und entscheide dich bewusst neu.

„Das ist der Spruch, den ich in der Vergangenheit geglaubt und erlebt habe. Er dient mir nicht. Und daher entscheide ich mich stattdessen Folgendes zu glauben: ...."

Und dein JETZT ist für diesen Moment so, wie deine Zukunft sein soll.

Jeder, der sich eine strahlende Zukunft wünscht, lebt für eine Weile in einem Spannungsverhältnis zwischen dem Alten, Unerwünschten und dem Neuen, das sich noch nicht genügend manifestiert hat. Aber solche Momente, in denen du einen Blick in die Zukunft erhaschst, werden länger und länger, stärker und stärker werden. Und du wirst sie immer häufiger erleben.

Nichts ist ewig auf dieser verrückten Welt, nicht einmal unsere Probleme.

Das sind meine Gedanken dazu:

_____

_____

_____

_____

_____

_____

_____

_____

_____

_____

_____

_____

_____

25

Hinterher ist Frau immer klüger

„Das hätte ich nicht tun dürfen. Hätte ich doch bloß…"

Geht es dir auch so, dass du dich darüber grämst, gestern, vor Wochen oder sogar vor Monaten etwas nicht gesagt oder getan zu haben, von dem du heute weißt das es gut gewesen wäre?

Du hast von dir ein bestimmtes Verhalten erwartet und diese Erwartung nicht erfüllt. Warum hast du gestern nicht gesagt oder getan was richtig oder notwendig gewesen wäre?

Weil du nicht in die Zukunft schauen kannst oder es einfach nicht besser konntest. Deshalb verlangst du heute etwas Unmögliches von dir, wenn du dich für einen Fehler in der Vergangenheit verurteilst. Du siehst nur noch deinen Fehler, deine Schwäche, dein Versagen und verurteilst dich dafür. Du hast dich gestern nicht bewusst falsch entschieden. Also verzeih es dir, statt dich zu bestrafen.

Selbstvorwürfe tauchen blitzschnell auf. Wenn du gut darin bist, findest du super viele Gelegenheiten, dir das Leben damit richtig schwer zu machen. Du grübelst stundenlang über dein Verhalten nach, bist gereizt, beschuldigst dich, fühlst dich wertlos. Die Folgen deiner Selbstvorwürfe spürst du dann an deiner Stimmung und an deinem Körper.

Wo steht geschrieben, dass du dich hättest anders verhalten müssen? Du hast dich so verhalten, wie es dir zu diesem Augenblick möglich war. Entsprechend deiner bisherigen Erfahrung, deines Wissens, deiner Einschätzung der Situation, deiner momentanen Verfassung, deiner Beziehung zu deinem Gegenüber.

Möglich, dass es eine bessere Möglichkeit gegeben hätte, aber du hast sie nicht parat gehabt, nicht für richtig gehalten, warst dazu in dem Augenblick nicht in der Lage, hast nicht an die Konsequenzen gedacht oder etwas falsch eingeschätzt.

So ist das.

Fakt ist: Du kannst die Vergangenheit nicht mehr ungeschehen machen. Das kann niemand. Hörst du: N I E M A N D

Deshalb:
Komm runter von deinem Trip. Mach lieber innerlich eine kleine Zeitreise und frage dich: Welche Bedeutung hat dein Fehler wohl in 5 Jahren? Wie wirst du ihn dann einschätzen?

Danach sage dir, auch wenn du es im Augenblick noch nicht glaubst:
„Ich bin bereit zu akzeptieren, wie ich mich verhalten habe. Ich habe gegeben was mir in dem Augenblick möglich war!"
Das ist genug.

Das sind meine Gedanken dazu:

_____

_____

_____

_____

_____

_____

_____

_____

_____

_____

_____

_____

_____

_____

_____

26

Sehen wir uns?

Wie wäre es, wenn wir uns persönlich begegneten?

Menschen, die man nicht mag, denen mag man auch nicht vertrauen. Und Menschen, die so gar nicht menschlich sind, denen mag man auch nicht vertrauen.

Schließlich haben wir alle schon unsere Erfahrungen mit komischen Menschen gemacht. Und genau darum sind wir vorsichtig geworden. Dummerweise geht zu viel Vorsicht zulasten guter Kontakte. Doch zu wenig Vorsicht geht zulasten unseres Seelenheils, sofern die Nimmlinge und Manipulatoren ins Spiel kommen! Was tun?

Ich empfehle dir die 3 P`s der Sicherheit. Magst du davon hören?
- P wie Privat
- P wie Professional
- P wie Persönlich

Damit wirst du sicher sein, wie viel du preisgeben kannst.

Alles, was **privat** ist, dein Intimleben sozusagen, das ist wirklich nur für sattelfeste enge Freunde. Oder für deine Mentorin. Also für deinen innersten Zirkel. Uns umgibt eine feste Mauer des Schweigens, die dich vor der Welt außerhalb schützt.

Bist du aber da draußen, bist du immer **professionell** und das beziehe ich nicht nur auf deinen Job. Gleichzeitig reichen diese beiden P`s noch nicht, denn zwischen privat und professionell ist es ein riesen GAP. Und wenn du glaubst, dass du damit durchkommst, da draußen in der Gesellschaft einfach nur professionell zu sein, dann irrst du dich. Denn wenn du nur professionell bist, wirkst du mehr wie ein schöner Schein, nicht wie ein Mensch mit Herz und Verstand. Nein, das ist keine Lösung.

Du brauchst das dritte P.
Denn die Menschen brauchen dich **persönlich** im Kontakt.

Doch was ist jetzt der Unterschied zwischen persönlich und privat?

Stell dir vor, du bist auf einer Veranstaltung, hast ein Glas Prosecco in der Hand und sprichst mit fremden Menschen - und zwar bevor du etwas angetüttelt bist (viele werden dann nämlich unangenehm privat).

Jetzt geht es darum, den Leuten etwas über dich an die Hand zu geben, womit sie etwas anfangen können, ohne dich damit in die Hand zu bekommen. Ich verrate zum Beispiel gerne, dass ich bekennende Hundenärrin bin, süchtige Buchleserin und gerne reise. Das sagt ja schon einiges persönliches über mich. Aber nicht alles.

Und wenn du mehr über mich und meine Erlebnisse in der letzten Zeit wissen willst, dann freue ich mich, wenn du in ein Seminar kommst oder mit mir auf die Reise nach Kreta gehst.
Sehen wir uns?

Das sind meine Gedanken dazu:

_____

_____

_____

_____

_____

_____

_____

_____

_____

_____

_____

_____

_____

27

Kannst du nicht oder willst du nicht?

Weißt du, es gibt eine simple Regel, die ich lange nicht wahrhaben wollte, die aber einen tiefen Wahrheitsgehalt hat.

„Wer sagt, ich kann nicht, der will in Wahrheit nicht!"

Weil ich es damals nicht glauben konnte, wollte ich das beobachten. Wie ging es weiter mit den Menschen die mir ein „Ich kann nicht!" geschenkt hatten?

Manchmal bekam ich später Mails in denen mir diejenige in einem langen Text auseinander setzte, wieso persönliche Entwicklung bei ihr auf gar keinen Fall funktionieren kann. Das war sogar anstrengend zu lesen.

Ist es nicht komisch? Man kann immer Gründe finden, warum etwas nicht funktionieren wird.

Und das richtig fiese daran ist:
Suchst du nach Gründen, dann findest du auch Gründe. Verheddert in negative Gedanken, fühlst du dich dabei auch nicht besonders wohl.

Achtung Umkehrschluss:
Suchen wir aber nach Gründen, wieso etwas klappen kann, dann finden wir genauso Gründe.

Alles eine Frage des Blickwinkels. Gleichzeitig kehrt Ruhe ein.

Jetzt kennst du einen großen Hebel für deine Entwicklung und Veränderung.

Entscheide dich heute für dich! Suche Gründe dafür, wieso du ein glückliches und zufriedenes Leben haben kannst.

Das sind meine Gedanken dazu:

Trick 17 mit Selbstüberlistung

28

Wenn du mir etwas ähnlich bist, dann bist du auf dem Weg! Also, ich bin da noch unterwegs, auch wenn es immer besser wird.

Nur manchmal, da verfalle ich noch in meine alten Gewohnheiten und mache zu wenig Auszeiten. Dann schreibe ich meine Impulse noch nach Mitternacht.

- **Die gute Nachricht ist, dass wir Gewohnheiten verändern können.**
- **Die schlechte, dass wir oft unterschätzen, wie schwer das ist.**

Wir sind uns immer erst sehr sicher, dass wir das lässig schaffen. Bis dann unser inneres System alles wieder ganz unbemerkt ins alte Lot, sprich, in die alte Gewohnheit bringt. Deswegen liebe ich kleine Schritte.

Und hier kommt eine interessante Übung für dich:
Welche kleine Veränderung, für die du dich heute entscheidest und die du dann konsequent durchziehst, würde eine große Veränderung für dein Leben bedeuten?

Ich habe ganz bewusst KLEINE geschrieben. Große Veränderungen klingen irgendwie toller und geben uns das Gefühl viel schneller unser Ziel zu erreichen. Nur leider sind wir ja Gewohnheitsliebhaber und unser inneres System liebt die Veränderungen nicht so sehr.

Was konkret bedeutet, dass wir schneller als wir glauben, wieder im alten Trott sind.

Kleine Schritte dagegen fallen unserem inneren System erst mal gar nicht auf. Sie kommen ja so unwichtig und harmlos daher. Aber das scheint nur so und schwups haben wir, weil sie einfach oft genug gemacht haben, uns eine neue Gewohnheit angewöhnt, die uns unterstützt.

Deswegen liebe ich kleine Schritte. Früher nannte ich es einen Trick 17 mit Selbstüberlistung.

Was könnte für dich so ein Schritt sein?

Vielleicht brauchst du nur 5 Minuten dafür und in diesen Minuten steckt so viel Transformationspotenzial. Ich praktiziere meinen geliebten Trick 17 gerade morgens und abends je 1 Minute. Das bringt mich ins Jetzt. Das fokussiert mich. Jedoch auch hier gilt: Wissen/Denken/Theorie ist super, aber nur TUN bringt Veränderung.

Trotzdem eine Warnung vorweg:

Waaas? So leicht? Das ist eine häufige Reaktion auf meinen Vorschlag. Ja, es darf simpel und leicht sein. Wenn du solche Gedanken hast, dann nimm sie als Warnung. Denn genau sie halten dich von wirklicher Veränderung (die meistens auch in kleinen Schritten passiert) ab.

Schreib mir gerne für welchen kleinen Schritt du dich entschieden hast. Ich freue mich darauf.

Das sind meine Gedanken dazu:

_____

_____

_____

_____

_____

_____

_____

_____

_____

_____

_____

_____

_____

Vergiss nie woher du kommst!

29

Vergiss nie woher du kommst....

Wer hat diesen oder einen anderen „folgenschweren" Satz zu dir gesagt? Bist du der Meinung, dass er dich im Leben bremst? Warum frage ich dich das überhaupt?

Es sind selten deine Glaubenssätze das Übel, wenn du nicht weiterkommst. Naja, die bremsen dich auch, aber nur, wenn du ihnen glaubst. Das Verrückte daran ist, das die meistens dann schon entschärft sind. Denn du hast sie bewusst. Wir merken sofort, wenn wir sie denken. Vielleicht braucht es Aufmerksamkeit und etwas neue Ausrichtung, aber sie sind wirklich handelbar, wenn wir ihnen nicht glauben.

Ganz anders sind die, die wir haben und gar nicht merken, dass wir sie haben. Ich erlebe das oft bei meinen Klienten und Teilnehmern.

Sie stellen mir Fragen, wollen wissen, was sie jetzt tun können und wenn ich nachfrage, dann wird es richtig spannend. Meistens kommen dann Rechtfertigungen, sie zählen alles auf, was sie schon gemacht haben, eine lange Liste. Dennoch: Es funktioniert nicht wirklich.

Ja klar, sie sind bereit ihre Komfortzone zu verlassen, sie sind voll davon überzeugt, dass sie das auch tun und wenn ich tiefer nachfrage. Dann merke ich schnell: Alles bleibt im gemütlichen Sicherheitsbereich. Und es endet dennoch gut, wenn sie bei mir im Mentoring oder in einer Gruppe sind. Dann gibt es ein Happy End, denn wir gehen das dann gemeinsam an und dann kommt wirklich das Ergebnis, das sie sich wünschen.

Wie ist das bei dir? Kennst du das? Du machst alles, bist felsenfest überzeugt, dass du mutig vorangehst und trotzdem verändert sich nichts? Was ist da passiert?

Hier schlagen voll unsere „inneren Wächter der Komfortzone" zu. Sie bewachen unsere Gemütlichkeitszone, unsere Sicherheitszone und sind sehr, sehr gut dabei, uns genau dort zu halten.

Deine inneren Wächter sind wahre Meister darin, dir vorzuspiegeln, dass du so viel machst und so mutig deine Komfortzone überschreitest, obwohl du in Wirklichkeit nur einen oder keinen Zentímeter weiter raus bist.

Aber es macht uns doch so stolz, wenn wir das Gefühl haben, dass wir es tun und wir glauben es deshalb so gerne!

Übrigens es gibt einen Beweis, ob du wirklich deine Grenzen überschreitest. Dein Wachstum, innen und außen. Es findet kein Wachstum statt, ohne dass wir uns und unser Tun verändern. Dein Wachstum ist der Beweis und es gehört echt Mut dazu, wenn wir ehrlich hinschauen.

Wie viel Wachstum gibt es bei dir wirklich?
- Wie viel besser fühlst du dich?
- Wie hat sich deine Freude entwickelt?
- Deine Selbstliebe, deine Authentizität, deine Beziehungen?

Und ich meine nicht nur so zwei Millimeter nach oben.
Es liegt selten an deinen Glaubenssätzen. Es liegt oft mehr daran, dass du deine Angst wichtiger nimmst als deine innere Sehnsucht.

Das sind meine Gedanken dazu:

_____

_____

_____

_____

_____

_____

_____

_____

_____

_____

_____

_____

K.O. für den inneren Kritiker

30

Der Weg zu mehr Authentizität und Selbstliebe geht selten schnur gerade-aus.

Es ist eher ein Entwicklungsweg oder noch besser gesagt, ein Entfaltungs-weg. Denn es geht darum, dass du dich mehr zu deiner wahren Größe ent-faltest. Und es beginnt immer, da wo du jetzt stehst. Mit deiner Wertschät-zung. Dabei wie du Wertschätzung wahrnimmst. Das ist der erste Schritt.

Und der beginnt?
Ja, genau: In deinem Denken.

Denn dein Denken bestimmt, wie du dich wertschätzt.
Dich selbst, dein Sein, dein Tun, deine Fähigkeiten, einfach ALLES.

Oft denkst du alte Gedanken, die du schon seit Jahren denkst.
* Wenn mich nur anderen mehr anerkannt hätten...
* Das kann ich einfach nicht...
* Ich bin nicht gut genug...
* Was sagen, dann die anderen... wenn... dann...

Ist dein innerer Kritiker auch manchmal viel zu laut?

Mir helfen dann diese drei Schritte:
1. Einfach kurz zuhören. Um welche Angst geht es gerade?
2. Anerkennen. Das ist das Wichtigste. Nicht weghaben, sondern anerken-nen: Danke, ich höre dich.
3. Entspannen und loslassen.

Das sind nur Gedanken und du bist NICHT deine Gedanken.
Sie sagen nichts, hörst du, nichts über dich, deine Fähigkeiten, dein Können oder sonst etwas aus. Außer du glaubst ihnen.

Aber, das machst du ja ab jetzt nicht mehr!
Also, lass sie einfach los. Lass dir kein schlechtes Gefühl machen von flüch-tigen Gedanken, die heute so und morgen so daher kommen.

Dein innerer Kritiker hat die größte Freude daran, wenn in deinem Leben alles so bleibt wie es ist.

Die Belastungen, die Unzufriedenheit, die Stagnation. Dafür arbeitet er an dir. Da steckt er Energie rein.

Du bist die Schöpferin deines Lebens, nicht der innere Kritiker! Du bist die Königin!

Das sind meine Gedanken dazu:

_____

_____

_____

_____

_____

_____

_____

_____

_____

_____

_____

_____

_____

_____

_____

_____

_____

_____

Denkst Du Dich alt? Tipps für mehr Glück

31

Heute erzähle ich dir zuerst die Story meiner weißen Haare. Meine erste dicke graue Strähne im Pony hatte ich mit 19 Jahren. Komisch, habe ich damals gedacht. Was das wohl zu bedeuten hat?

Mit 40 war es mir aber richtig mulmig. Uiuiui, 40 Jahre und schon so viel grau, wer wird mich da noch anschauen?

Ich war deprimiert und voller Sorge: Jetzt geht es bergab, jetzt werde ich alt. Mein Entschluss: Da muss Farbe her! Unbedingt. So kam die Farbe rot in mein Leben. Aber schon bald ging mir der dumme Ansatz auf den Keks. So kam die Farbe Weißblond in mein Leben. Chic! Jetzt war es besser mit dem Ansatz, aber dafür stöhnte meine gequälte Kopfhaut.

Was für eine Erleichterung endlich meine inzwischen weißen Haare leuchten zu lassen. Eine Bekannte sagte damals zu mir: „ Ich weiß immer wo du in der Menschenmenge bist, deine Haare leuchten so schön!"

Vielleicht hast du keine grauen Haare, aber du meinst, du hast viele Falten? Welche Gedanken gehen dir durch den Kopf, wenn du in den Spiegel schaust? Worauf lenkst du deinen Blick? Fältchen, schlaffe Haut, Leberflecken, dünnes Haar?

Vielleicht kennst du die Angst, mit all dem nicht mehr perfekt zu sein?
Also gehen wir gerne gegen diese „Feinde" mit Farbe oder Beautycreme vor.
Oft in der Hoffnung, uns und anderen etwas vormachen zu können.
Aber nichts hilft, wenn wir innerlich alt oder gar schon tot sind.

Wusstest du, das man sich alt denken kann?
Wir denken uns alt mit unseren Lebensängsten, der Angst vor Veränderung, unseren zu ausgeprägten Sicherheitsdenken und der Angst vor Fehlern.

Stattdessen kannst du einen anderen Weg gehen. Es stellen sich viele Frauen in der Mitte ihres Lebens die Frage „Soll das alles gewesen sein? Habe ich mir mein Leben so vorgestellt?"

Damit wollen sie ausdrücken, dass ihnen noch etwas fehlt, das sie sich unerfüllt fühlen.

Vielleicht sind es auch Gefühle, die dich im Griff haben:
Gereiztheit, Unzufriedenheit, Trauer, innere Leere, Angst vor der Zukunft.

Denn diese Frage: War das schon alles, ist sehr wichtig für dich, gibt sie dir doch die Möglichkeit, deinem Leben noch einmal ein andere Richtung zu geben. Wer bin ich? Was will ich?

Jetzt mal ehrlich: Was kannst du tun, um eine gute Antwort auf diese Frage zu bekommen?

TIPP 1:
Zieh erst einmal Bilanz. Was ist gut daran, genau so weiterzumachen wie bisher und was ist überhaupt nicht gut daran?

TIPP 2:
Was ist dir wirklich wichtig. So wirklich, wirklich?

TIPP 3:
Höre tief in dich hinein: Wie fühlst du dich im Augenblick? Was fehlt dir, um wieder mehr Zufriedenheit zu spüren? Und ich meine nicht diese kurzfristige nach dem Frisör oder dem Shopping.

TIPP 4:
Mach dein Glück und deine Zufriedenheit nicht mehr von anderen Menschen abhängig. Du lebst dieses Leben, die anderen stecken nicht in deiner Haut.

TIPP 5:
Wenn du das Gefühl hast dich im Kreis zu drehen, dann such dir echte Hilfe.

Ich bin mir sicher. Du kannst gestärkt, reifer und glücklicher werden, wenn du dich diesen Fragen aufrichtig stellst.

Das sind meine Gedanken dazu:

Wenn mir der Spiegel vorgehalten wird

32

Vor einiger Zeit habe ich von einer Klientin Abschied genommen, ich konnte sie nicht unterstützen.

Eine Weile wollte mein Kopf es nicht fassen. Ich war doch so geduldig mit ihr gewesen! Deshalb ließ ich unsere gemeinsame Zeit innerlich Revue passieren. Plötzlich konnte mich dann erinnern wie ich mich früher verhalten hatte. Früher das ist heute gefühlte tausend Jahre her, aber die Erinnerung ist noch wach.

Wie war ich früher? Ich war eine Meisterin darin mich selbst zu schützen. Ich wollte niemanden hinter meine Fassade schauen lassen.

Ich habe immer so getan:
* Als wäre mit mir alles in Ordnung, null Probleme.
* Mein Leben ist völlig easy.
* Als wäre ich gar nicht sauer oder empört, obwohl es innerlich in mir schäumte.

Ich hatte einen dicken Schutzwall um mein Herz errichtet. Dieser Schutzwall hielt sehr zuverlässig ab, was meinem sensiblen Inneren zu nahe kam. Er schützte mich, um nicht noch einmal verletzt zu werden. Verletzt wurde ich schon als kleines Mädchen immer wieder und als junge Frau beschloss ich, damit sollte endlich, zum Himmel nochmal, Schluss sein.

Eigentlich ist es völlig menschlich, NEIN zur Verletzungen zu sagen und sich schützen zu wollen. Was ich aber damals nicht verstanden habe ist, dass dieser Schutzwall zuverlässig jede Nähe zu anderen Menschen von mir fern hielt.

Ich war früher eine sehr einsame junge Frau. Ich zog Menschen an, die vor meiner Kühle zurückschreckten, nicht nachfragten und mich nicht wirklich einbezogen, es sei denn sie brauchten eine Zuhörerin. In dieser Rolle war ich natürlich perfekt. Ich hing anderen an den Lippen und brauchte nicht von mir selber sprechen.

Ich bin mir sicher: Auch bei dir und bei meiner Klientin sind in der Vergangenheit Dinge passiert, bei denen „dichtgemacht" wurde.

Aber heute ist diese Situation vorbei, jedoch hast du die automatische Schutzreaktion mitgenommen und die bestimmt heute deine Beziehung zu anderen Menschen.

Diese alte Schutzreaktion wird zur Bestimmerin und bestimmt, dass du nicht gut unterscheiden kannst:
- Hier ist ein sicherer Raum, hier kann ich mich öffnen.
- Hier ist eine Person wirklich an mir und meinem Schicksal interessiert.
- Hier möchte mich jemand von ganzem Herzen unterstützen.
- Hier kommt mir jemand entgegen und reicht mir die Hände.

Ich habe das damals nicht so sehen können, sondern ich wurde zur Rückzugsqueen. Bücher meine sicheren Begleiter. Jedoch wuchsen meine Schwierigkeiten, besonders auf meiner damaligen Arbeitsstelle. Mit meinen Kollegen wurde es immer ungemütlicher. Warum?

Wirkliche Nähe kann nur entstehen, wenn wir uns öffnen:
- Wenn wir nichts mehr beschönigen.
- Wenn wir frei heraus unsere Meinung sagen, unseren Standpunkt vertreten.
- Wenn wir ehrlich sagen, wie es uns geht.
- Wenn wir sagen, wenn uns etwas stört.
- Wenn wir zu unseren Ängsten und Unsicherheiten stehen.

Nur dann finden andere Menschen einen Zugang zu mir und zu dir. Ansonsten schauen sie auf die Schutzmauer und nicht dahinter.

Natürlich, es gibt immer wieder ein Risiko. Offenheit bringt auch die Gefahr von Verletzung mit sich. Aber irgendwann wurde mir persönlich klar, dass ich nicht so ein kühles, profanes Leben an der Oberfläche führen wollte. Ich hatte nur keine Ahnung wie es gehen sollte.

Damals ging ich in Therapie, am Anfang zweimal wöchentlich und lernte Selbstakzeptanz. Das ging nicht ganz ohne Schmerz. Ich fühlte mich verletzt wenn mir der Spiegel vorgehalten wurde. Im stillen Kämmerchen grübelte ich, ob an der Sache etwas wahr sein könne. Schließlich, zähneknirschend, musste ich meiner damaligen Therapeutin Recht geben.

Ich lernte langsam zu allen Charaktereigenschaften, Gefühlen und auch Verhaltensweisen „JA" zu sagen, statt sie loswerden zu wollen und das war ein gewaltiger Schritt in Richtung Offenheit. Ich bekam viel weniger Probleme mit einer möglichen Zurückweisung und musste viel weniger vor dem Schmerz weg laufen.

Nicht der Schmerz als solcher ist es, was dir solche Angst macht, sondern deine Interpretation der Sache selbst. Außerdem fällt es viel leichter, etwas zu zeigen, dass du akzeptierst, anstatt etwas zu zeigen, was du nicht akzeptierst und natürlich auch nicht willst, dass es jemand anders sieht, oder? Heute traue ich mich total, der Welt zu zeigen wie ich bin. Eben auch erschüttert, wenn eine wunderbare Frau noch keine Unterstützung annehmen kann.

Das sind meine Gedanken dazu:

_____

_____

_____

_____

_____

_____

_____

_____

_____

_____

_____

_____

_____

_____

Gibt es dumme Fragen?

33

Vor einiger Zeit habe ich in meiner Facebook Gruppe den „Frag-mich-alles-Tag" eingeführt.

Leider nur mit sehr mäßigem Erfolg, denn über Wochen bekam ich nur eine einzige Frage gestellt. Das brachte mich echt ins Grübeln.

Hatten sie Angst sich mit einer „dummen" Frage zu zeigen? Stimmt, wir kommen uns manchmal blöd vor, wenn wir das Gefühl haben eine dumme Frage gestellt zu haben. Ich erinnere mich an eine Episode im Landschulheim.

So im Alter von 10 Jahren kam in der Gruppe von Mädchen das Thema Zuhälter auf. Ich war völlig ahnungslos, worum es ging und fragte folgenschwer: „Was hält der denn zu?"

Klar haben die anderen gesagt: „Was für eine dumme Frage!" Und sich über meine Naivität lustig gemacht. Fragen werden erst zu dummen Fragen, wenn wir oder andere sie bewerten. Dabei ist es ein Zeichen von Mut und Selbstbewusstsein und kein Makel, sich und anderen einzugestehen, dass man etwas nicht weiß.

Aber: Die meisten Menschen erwarten von sich, perfekt sein zu müssen.

Besonders dann, wenn wir neue Menschen kennenlernen, sind wir versucht, uns im guten Licht darzustellen. Da fallen uns „dumme" Fragen besonders schwer, weil wir befürchten für andere uninteressant zu sein.

Na ja, den „Frag mich alles Tag" habe ich erst mal eingestellt.

Aber ich bleibe dabei: Fragen sind der Königsweg, um sich selbst und andere besser kennenzulernen, Interesse zu zeigen und Nähe aufzubauen.

Das sind meine Gedanken dazu:

34

Liebst du Geschichten?

Ich ja! Die Weisheit kann sich so schön ins Ohr schleichen und von dort weiter ins Herz.

Vielleicht kennst du diese:
Fünf neugierige Frösche kamen an einem glänzenden Eimer vorbei. Da muss doch was tolles drin sein, wenn der Eimer so schön aussieht, dachten sie sich. Also sprangen alle mit einem großen Satz hinein. Keine gute Idee, denn der Eimer war halbvoll mit Milch. Sie schwammen in der Milch, konnten aber nicht wieder hinaus: Die Wände waren zu hoch und viel zu glatt. Der Tod war ihnen sicher. Einer jammerte verzweifelt: "Wir müssen sterben, hier kommen wir nie wieder heraus!" Und er hörte mit dem Schwimmen auf. Der zweite Forsch hörte das und bewegte sich auch nicht mehr, da ja alles keinen Sinn mehr hatte. So auch der 3. und 4. Die Frösche ertranken in der Milch. Aber einer sagte sich „ Ich gebe zu, die Sache sieht nicht gut aus. Aber aufgeben tue ich deshalb noch lange nicht. Ich bin ein guter Schwimmer! Ich schwimme, so lange ich kann."
Und so stieß der Frosch kräftig mit seinen Hinterbeinchen und schwamm im Eimer herum. Er schwamm und schwamm und schwamm. Wenn er müde wurde, dann munterte er sich selbst wieder auf. Tapfer schwamm er immer weiter. Und irgendwann, ja tatsächlich, spürte er a seinen Beinen eine feste Masse. Durch das Treten hatte er die Milch zu Butter geschlagen! Nun konnte er aus dem Eimer in die Freiheit springen. Frei nach Äsop.

Wie sieht es bei dir aus? Welcher Frosch bist du?
Willst du in deine persönliche Freiheit springen, auch wenn andere Menschen um dich herum das nicht tun? Oder die äußeren Umstände scheinbar gerade nicht ideal sind?

Wenn du wirklich ein strahlendes Leben möchtest, dann folge diesem Verlangen mehr als allem anderen. Glaub an dich und es werden Menschen und Umstände in dein Leben treten, die dich dabei unterstützen.

Du kannst lernen, dich mit anderen Augen zu sehen und so dein Selbstbild stärken.

Wenn du lernst, an deinen eigenen Wert und an deine Fähigkeiten zu glauben.

Dabei baust du Schritt für Schritt deine Selbstliebe auf. In dem Maße, indem du dein Selbstbild durch Selbstliebe positiv veränderst, wird sich auch dein Leben positiv verändern.

Das kann ich dir 100% versichern.

Das sind meine Gedanken dazu:

_____

_____

_____

_____

_____

_____

_____

_____

_____

_____

_____

_____

_____

_____

_____

_____

_____

_____

Selbsttäuschung hat Pause

35

Vor kurzem hörte ich einer Frau zu, die von ihrem Job erzählte.
Alles super, tolles Gehalt, der beste Chef ever. Aber der Ton, in dem sie sprach, passte nicht zu ihren Aussagen. Da war eine Spannung spürbar. Irgendwas stimmte nicht ganz. Es ist nicht so ungewöhnlich, dass wir uns selbst belügen. Du hast es schon getan, ich habe es schon getan, alle haben es schon mal getan.

Aber hast du dir mal im stillen Kämmerchen darüber Gedanken gemacht, was diese Selbstlügen dir antun? Das Schummeln, das Schönreden, das sich etwas in die Tasche Lügen?

Wie es sich auf deine Motivation, deinen Selbstrespekt, auf deine Beziehung zu dir selbst auswirkt? Dabei ist es gar nicht so auschlaggebend ob du dich bewusst anlügst oder eher unbewusst. Die Wahrheit ist, dass es sich dabei um eine äußerst ungesunde Nummer handelt.

Der menschliche Geist ist ein Meister der Selbsttäuschung, wusstest du das?

Du kannst dich leicht selbst davon überzeugen, zu glauben, dass etwas wahr ist, auch wenn du tief im Inneren weißt, dass es das nicht ist. Sag es dir nur lange genug vor. Dein Unbewusstes kannst du damit überlisten.
Lass uns auf die zwei möglichen Konsequenzen der Selbsttäuschung schauen.

1. Du opferst dein wahres Glück
Wenn du dich selbst belügst, verletzt du dich selbst und opferst dein wahres Glück. Dies gilt zum Beispiel besonders für Beziehungen. Du überzeigst dich selbst, dass du mit jemandem glücklich bist, obwohl die tiefe Wahrheit ganz anders aussieht.

Oder du das einen Weg eingeschlagen, vom dem du dir einredest, dass er gut für dich ist. Oder das es gut ist Dinge so und nicht anders zu machen, obwohl ein Erfolg sich nicht einstellt. Oder dir einzureden, das etwas schon werden wird, obwohl alle Zeichen auf Sturm stehen.

Und während du dich Tag für Tag selbst anlügst, bist du Tag für Tag weiter von deinem Glück entfernt.

2. Du lässt nicht zu, dass du bekommst, was du verdienst.
Das Wohlergehen eines anderen über deines zu stellen, ist eine noble Geste. Wenn du es aber ständig tust, dann ist es keine gute Sache (Achtung, es könnte jetzt die Selbstlüge kommen: Ach, so oft mache ich es ja gar nicht!)

Du sagst dir selbst, dass du mit der Art und Weise, wie du dein Leben im Moment aussieht, zufrieden bist und deine Träume warten können. Aber können sie das wirklich?

Wenn du dich selbst im Stich lässt, dich selbst belügst und dich mit dem zufrieden gibst, ohne für das zu kämpfen, was du wirklich willst, opferst du letztlich die Dinge, die dein Leben wirklich glücklich machen. Und das ist ein hoher Preis.

Sich selbst zu belügen passiert schnell. Und wir merken es kaum. Der Alltag und seine Herausforderungen führen dazu, dass wir aufhören zu denken, aufhören zu fühlen und viel mehr funktionieren.

Wenn du dich selbst finden willst, dann drück auf die PAUSE-Taste, beobachte dich und erkenne, wann du dich selbst belügst und dann beginne dieser Nummer einen Riegel vor zu schieben.

Wenn du das loslässt, was dich seit langer Zeit da hält, wo du gerade bist, öffnet sich alles.

Das sind meine Gedanken dazu:

36

Welches Bild hast du von dir?

Jeder von uns trägt in sich ein Bild von seiner Persönlichkeit, den Stärken und Schwächen. Dieses Selbstbild entscheidet darüber, wie wir uns verhalten.

Dieses Selbstbild ist durch die Erlebnisse und Erfahrungen unser Kinderzeit geformt worden. In einem meiner ersten Zeugnisse in der Grundschule, stand folgendes: „Ilona singt gern, aber nicht immer richtig!"

Kannst du dir vorstellen, wie das mein Selbstbild geprägt und mein weiteres Verhalten bestimmt hat? Dieser kleine Satz.

Alle Fehler, Verletzungen, Niederlagen und Erfolge in der Kindheit formen das Selbstbild.

Warum, fragst du? Weil wir in dieser Phase unseres Lebens noch keine eigene feste Meinung von uns haben und für alle Einflüsse von außen sehr empfänglich sind, nehmen wir die Meinung der anderen über uns an. Das heißt unser Selbstbild ist im Grunde genommen ein Fremdbild.

Du hast es nicht freiwillig gewählt, sondern es einfach übernommen. Es über die Jahre hinweg beibehalten. Dabei hat es eine große Auswirkung auf dein Leben.

Das Selbstbild bestimmt:
- Wie du deinen Körper siehst und bewertest
- Welche Talente & Fähigkeiten du an dir erkennst
- Welche Wünsche & Ziele du hast
- Welche Beziehungen du lebst
- Welche Erfahrungen wir machen
- Was du erreichst und leistest usw.

Gewöhnlich stellen wir das Bild, das wir von uns haben, nicht einmal in Frage. Wir glauben, so wie wir uns sehen, sind wir tatsächlich und alle anderen sehen uns auch so. Dabei stimmt unsere heutige Selbsteinschätzung selten mit der Wahrnehmung anderer überein.

Deshalb reagieren viele auch ganz überrascht, wenn ich sie als starke Persönlichkeit sehe, während sie sich schwach und leicht verwundbar fühlen. Es hilft dir sehr, wenn du dein Selbstbild näher betrachtest und es auch mal kritisch in Frage stellst.

Woher weißt du denn, dass du so bist, wie du dich siehst?
Wie kommst du zu dieser Meinung?

Du kannst lernen, dich mit anderen Augen zu sehen und so dein Selbstbild stärken. Wenn du lernst, an deinen eigenen Wert und an deine Fähigkeiten zu glauben.

Dabei baust du Schritt für Schritt deine Selbstliebe auf. In dem Maße, indem du dein Selbstbild durch Selbstliebe positiv veränderst, wird sich auch dein Leben positiv verändern. Das versichere ich dir!

Das sind meine Gedanken dazu:

_____

_____

_____

_____

_____

_____

_____

_____

_____

_____

_____

_____

_____

37

Wem kannst du vertrauen?

Manchmal frage ich mich, wo ich wäre, wenn die Dinge anders gelaufen wären. Wenn ich nicht vor einigen Jahren aus meiner Komfortzone ausgestiegen wäre und mich nicht von meiner Kollegin und ihrem Institut rigoros getrennt hätte.

Manchmal müssen wir einfach wo durch, wo raus, was bewältigen.

Es wäre danach so easy gewesen, einfach von der Bildfläche zu verschwinden. Nichts mehr zu tun. Über 20 Jahre Teamwork wären auch genug gewesen. Genug um auszuruhen.

Doch ich habe den Ausstieg für mich getan. Ich habe mich entschieden, an mir dran zu bleiben. Und deshalb ist es schön zu spüren, dass du dich auf dich verlassen kannst.

Du kannst dich auf dich verlassen, wenn es ums Verkriechen oder Tun geht. Du bist garantiert dein bester Freund oder Feind in diesem Spiel.
- Wir suchen so gern jemanden im Außen, der uns die Stange hält. Vielleicht ein Coach oder Mentor und jammern dann, dass er oder sie uns nicht in ein strahlendes Leben getragen hat.
- Wir jammern über unseren Partner, der uns nicht den Rücken freihält.
- Wir finden es sooo schade, traurig und mühsam, dass unsere Family uns nicht so würdigt, wie wir es grad bräuchten.

Tja…es ist halt auf niemanden mehr Verlass.

Doch!
Du kannst dich darauf verlassen, dass DU immer an vorderste Front mit dabei bist und du dich auf alle Fälle auf dich verlassen kannst! Egal in welche Richtung. Bergauf oder bergab.

Denn DU entscheidest, was du tust oder nicht.
Das ist nun mal einzig und allein deine Verantwortung.

Die Welt da draußen wird nicht Schlange stehen vor deiner Tür, wenn du NICHT auftauchst, sondern schön brav im Häuschen bleibst. Aber sie werden es vielleicht tun, wenn du auftauchst, wenn du dich zeigst und den nächsten und den nächsten Schritt in ein authentisches, strahlendes Leben tust.

Sei selbst die Person, der du absolut vertrauen kannst die Dinge durchzuziehen und niemals aufzugeben.

Weil es eben immer wieder deine bewusste Entscheidung ist.

Das sind meine Gedanken dazu:

_____

_____

_____

_____

_____

_____

_____

_____

_____

_____

_____

_____

_____

_____

_____

_____

_____

38

Das Geheimnis der grössten Fehler

Sind die größten Fehler, die Menschen in ihrer Persönlichkeitsentwicklung machen, eigentlich Geheimnisse? Oder kennen wir die Fehler und ignorieren sie täglich? Auch auf die Gefahr hin, dass dieses Verhalten uns Jahre der Entwicklung kostet?

Ok, ich decke das Geheimnis auf. Einer der größten Fehler ist:
Dass wir gegen uns selbst vorgehen!

Gegen uns? Ja, wir finden tausend Dinge, die wir an uns nicht mögen und versuchen sie dann mit aller Kraft loszuwerden.

Ach ich vergaß: Wir beschimpfen uns vorher noch ordentlich. Wir sind zu mollig, zu antriebslos, zu schüchtern, nicht charmant genug. Alles furchtbar.

Ich denke nur an meine Nase. Natürlich ist die objektiv länger als der Durchschnitt aller Nasen. Vielleicht bevorzugen viele Männer auch süße Stupsnäschen. Mag sein.

Mein Denken und Fühlen hat sich jahrelang zu großen Teilen um meine Nase gedreht und mir viel Energie abgezogen. Ich habe mich ihrer geschämt, mich wegen ihr zurückgezogen, mich reduziert. Aber loswerden konnte ich sie nicht.

Vielleicht ist es bei dir anders und es geht um dein Gewicht. Kilos die du loswerden musst, um dann endlich, ja was eigentlich? Oder du bist zu schüchtern, um dir eine neue Stelle zu suchen und musst erst die Schüchternheit loswerden, die blöde die.

Doch das ist oft ein sinnloses Unterfangen, auch wenn manches ganz logisch klingt. Aber mit so einer Nummer lebst du ständig im Widerstand gegen dich! Stattdessen bau dir ein Fundament liebevoller Selbstakzeptanz um dich zu entfalten. Gesundes persönliches Wachstum gedeiht aus Selbstliebe- nicht aus Selbstablehnung.

Schau dir also gerade die Gefühle, Verhaltensweisen und Eigenschaften an, die du nicht magst und schenke ihnen liebevolle Worte. Du wirst eine Veränderung merken.

Wenn du das loslässt, was dich seit langer Zeit da hält, wo du gerade bist, beginnt etwas Neues.

Das sind meine Gedanken dazu:

39

Auf der Flucht

Ich war viele Jahre meines Lebens auf der Flucht! Dabei stamme ich weder aus der dritten Welt, noch musste ich mich vor der Polizei verstecken.

Ich spreche von der Flucht vor mir selbst!

Die hatte eine hoch interessante Form angenommen, ich bin nämlich innerhalb weniger Jahre dreizehn Mal (!!!) umgezogen. Immer mit super Begründungen natürlich. Näher an die Schule der Kinder, einen Garten für die Kinder, der böse Vermieter, die Wohnung die mich depressiv macht.

So eine Flucht vor sich selbst kann sich auch anders äußern:
Der Job wird häufig gewechselt, die Partner, die Wohnungseinrichtung. Vieles ist möglich. Du kannst sogar von Vergnügen zu Vergnügen flüchten.

Aber das Ding ist: Flüchten funktioniert immer nur sehr kurzfristig.

Genau die Dinge vor denen du flüchtest, werden in der neuen Wohnung, im neuen Job zu 100% wieder auftauchen. Das ist die Wahrheit, schlicht und ergreifend.

Ich habe später herausgefunden, dass ich, immer wenn es in meiner Ehe gekriselt hat, einen Umzug geplant habe. Das brachte uns wieder zusammen, wir hatten ein gemeinsames Ziel und es ging wieder besser zwischen uns zweien. Nur: In der nächsten Wohnung ging nach einiger Zeit das Spiel wieder von vorne los.

Die nächste Krise, Gegenmittel: Der nächste Umzug.
Tiefer liegt etwas anderes. Wir erwarten uns von der Flucht etwas:
- Mehr Zufriedenheit
- innere Entspannung
- ein besseres Leben.

Doch genauso erreichen wir unsere Ziele eben nicht. Ganz im Gegenteil. Es gibt nur eine Möglichkeit, das zu erreichen, was wir uns vom Flüchten versprechen.

Nämlich nicht zu flüchten sondern sich den Dingen zu stellen.

Frage dich:
- Aus welchem Grund möchte ich wieder einen neuen Job?
- Was mag ich an meiner Beziehung nicht?
- Wovor möchte ich davon laufen?

Schau hin. Sei ehrlich mit dir. Mach dich bekannt mit dem, vor dem du weg-laufen willst. Leiste keinen Widersand gegen das Thema.

Denn genau das war es was ich mit den Umzügen veranstaltet habe. Wider-stand geleistet dagegen, dass in meiner Ehe etwas nicht gestimmt hat.
Lass dich ein. Lass den Widerstand los, er kostet dich viel mehr Kraft als das Hinschauen.

Das sind meine Gedanken dazu:

_____

_____

_____

_____

_____

_____

_____

_____

_____

_____

_____

_____

_____

_____

Mehr vom Leben ohne Wunderpille

40

In meiner Kindheit, waren die Wochen so ziemlich gleich.

Es gab kaum Veränderungen. Meine Mutter hatte immer das Essen fertig, wenn ich aus der Schule kam. Freitags war immer Badetag. Am Sonnabend gab es immer Abendessen bevor die Tagesschau anfing. Am Sonntag wurde immer ein Spaziergang gemacht.

So wird es wohl sein, das erwachsene Leben: Ich gehe zur Schule, ich lerne einen Beruf, ich heirate, ich bekomme Kinder. Die Zwischentöne habe ich irgendwie nicht mitbekommen.

Erst später wurde mir klar: Mehr vom Leben zu wollen ist vollkommen in Ordnung. Wir alle wollen das in irgendeiner Art und Weise. Dabei entscheidest du ganz persönlich, was das für dich bedeutet.

Ich meine gerade nicht das große Haus, die Weltreise oder das Traumauto. Ich meine etwas Intimeres:
- Zweifel und Ängste überwinden
- Dir im Job nicht alles gefallen zu lassen
- Einen anderen Beruf zu ergreifen
- Dir Kritik nicht mehr so zu Herzen zu nehmen
- Eine erfüllende Beziehung ohne Psychoterror
- Die Freiheit dich so zu zeigen wie du bist.

Die Basis dafür ist ein starkes Selbstwertgefühl. Echt? Ja.
Ich kann mir vorstellen, dass du schon viele Dinge versucht hast, um dich besser zu fühlen. Bücher lesen. Es gibt Hunderte von Ratgebern zu allen Themen des Lebens, Gespräche mit der Freundin, dich mit etwas Schönem zu verwöhnen. Sicher, kurzfristig bekamst du Auftrieb.

Aber was davon hat dauerhaften Erfolg gebracht?
Ich kann es dir verraten, warum das nicht wirklich klappt. Weil es nur an der Oberfläche ansetzt. Wirklich tiefgreifende Veränderung geht anders. Dein Selbstwertgefühl wird dir immer wieder einen Strich durch die Rechnung machen und dich dort landen lassen, wo du losgelegt hast.

Möchtest du die Wahrheit hören? Auch auf die Gefahr hin, dass sie dir nicht schmeckt?

- Du kannst dich nicht von der Meinung anderer lösen, wenn du selbst eine schlechte Meinung von dir hast.
- Du kannst dich nicht liebevoll behandeln, wenn innen der Selbsthass kocht
- Du kannst nicht deine Angst vor Fehlern ablegen, wenn du dich als fehlerhaft ansiehst
- Du kannst keine Beziehung auf Augenhöhe führen, wenn du glaubst weniger wert zu sein.

Total logisch und dennoch fangen wir nicht gerne bei uns selbst an. Und wenn schon, dann „Oh, bitte Ilona, gib mir eine Wunderpille, damit alles gut wird."

Ich weiß aus Erfahrung, wie leicht man sich für einen „hoffnungslosen Fall" halten kann, bei dem nichts fruchtet. Doch genau aus diesem komischen Glauben entsteht ein schwaches Selbstwertgefühl.

Dabei ist es viel einfacher als du es dir vorstellst: Anstatt immer an den Symptomen anzusetzen, entscheide dich dafür die Ursachen anzugehen. Das ist eine Entscheidung, die sich auf dein restliches Leben phänomenal auswirken wird.

Das sind meine Gedanken dazu:

_____

_____

_____

_____

_____

_____

_____

_____

_____

_____

41

Abend im Eimer oder Frieden mit dir selbst

Es war ein warmer Abend auf Lanzarote.

Ich war zum allerersten Mal auf der Insel und saß mit einigen Freunden am Meer, genoss das Meeresrauschen und meine spanischen Lieblingstapas. So hatte ich mir mein Leben immer vorgestellt.

Keine Sorgen, echte Freunde, ein schöner Ort.

Doch ich fühlte mich plötzlich nicht so, wie ich mir immer vorgestellte hatte, dass ich mich in so einer Situation fühlen würde. Irgendwie kamen da Gefühle der Trauer und Einsamkeit hoch. Ich sagte zu mir: „Das kann doch nicht sein, wieso fühle ich mich denn jetzt so. Ich sollte mich doch eigentlich ganz anders fühlen." Die Umstände waren doch wirklich perfekt.

Und so versuchte ich mit aller Kraft, meine Gefühle zu unterdrücken. Sie passten einfach nicht ins Bild. Wie du dir denken kannst machte mein Versuch das Ganze nur noch schlimmer. Denn anstatt lockerzulassen, führte ich nun innerlich einen Kampf. Ich hatte ein anders Bild davon, wie „Frau" sich in diesem perfekten Moment fühlen sollte und kämpfte deshalb angestrengt dagegen an. Ich wurde stiller und stiller und konnte den Abend nicht mehr genießen.

An diesem Abend, vor vielen Jahren, habe ich etwas Wichtiges gelernt: Gefühle wollen gesehen werden, ganz egal woher sie kommen. Sie wollen angenommen werden. Stattdessen sucht unser Kopf gerne nach einer Begründung. Warum bin ich traurig, ich habe doch keinen Grund, was soll das jetzt?

Wir können nicht immer wissen warum, weshalb, wieso ein Gefühl uns so plötzlich überschwemmt. Aber gib ihnen Aufmerksamkeit und kämpfe nicht gegen sie an. Lass sie da sein, betrachte sie und drück sie nicht weg. Dann gehen sie ganz sanft vorüber.

Gefühle sind biochemische Stürme in Gehirn, sagt Anthony Robbins. Er sagt sie sind eigentlich erst einmal neutral.

Aber wir hauen mit unseren Bewertungen dazwischen. Wir machen sie durch unsre Bewertung zu guten oder schlechten Gefühlen. Und wenn wir dann die vermeintlich schlechten Gefühle loswerden wollen, dann geht es erst richtig los.

Wir führen einen Kampf gegen uns selbst. Weg mit dem Mist, der gerade passiert. So ist dann der schönste Abend im Eimer.

In meinen Schlüsselreisen lernst du einen akzeptierenden Kontakt zu dir selbst herzustellen und so alle Gefühle in dir liebevoll zu begrüßen. Das ist eine wunderbare sanfte Methode.

Das sind meine Gedanken dazu:

_____

_____

_____

_____

_____

_____

_____

_____

_____

_____

_____

_____

_____

_____

_____

_____

Was sollen die Leute denn denken?

42

Vor einigen Jahren schaute ich in einer therapeutischen Gruppe den Teilnehmern beim Tanzen zu und begann mich zu wundern. Es wirkte als wären alle damit beschäftigt, jede ihrer Bewegungen sozial abzugleichen. Als würde gleichzeitig der Kopf analysieren, ob die Bewegungen auch schön aussahen oder nicht zu wild waren.

Was ging da vor? Wirklich loslassen, die eigene Intensität zeigen, sieht anders aus. Plötzlich wurde mir eine interessante Verbindung klar.

Hast du diesen Satz auch noch im Ohr: „Das geht nicht, was sollen denn die Leute denken?" Komisch, die Kindheit ist längst vorbei, der Satz wirkt immer noch nach.

Auch in unserer heutigen Welt wollen viele, dass wir uns anpassen. Die meisten Leute tun alles, um bloß nicht aufzufallen oder etwas zu tun, was komisch auf andere wirkt. Die kleinste Kleinigkeit ist jedem peinlich.

Anpassen. Reinpassen. Aufpassen
Doch was macht das mit unserem Selbstwertgefühl?

Wir denken in vielen Situationen, wir müssten Teile von uns verstecken. Andere dürfen sie auf keinen Fall sehen, sonst würde das Image bröckeln. Wenn es bröckelt, könnten andere unser wahres ICH sehen – und es bestimmt ablehnen. Logik: Also müssen wir uns ganz gewissenhaft schützen. Aber damit halten wir unser Selbstwertgefühl ganz schön klein. So finden wir nicht zu unserer Kraft und Stärke.

Ich hatte das große Glück, einen Vater zu haben, der ein ziemlich unangepasster Charakter war. Er hatte keine Angst sich zu zeigen, seine Meinung zu sagen oder Widerstand zu leisten, wenn ihm etwas nicht passte.

Das positive an meiner Erfahrung mit ihm war, dass ich beobachten konnte, dass ihm nichts Existenzbedrohendes geschah. Im Gegenteil er war sogar beliebt.

Auch wenn du keinen solchen Vater hattest, du kannst es dir heute zur Angewohnheit machen, dich mehr zu zeigen.

Gerade wenn du denkst, du würdest abgelehnt oder komisch beäugt werden.

Vielleicht fühlt sich das erst etwas komisch an, es ist aber der Weg in die innere Freiheit. Probier dich aus!

Das sind meine Gedanken dazu:

_____

_____

_____

_____

_____

_____

_____

_____

_____

_____

_____

_____

_____

_____

_____

_____

_____

_____

Schräge Tage ohne Superumhang

43

Die letzten Tage waren irgendwie schräg. Auch andere Menschen sprachen von eigenartigen Energien. Ich war powerful in der einen Minute. Kurz darauf völlig durch den Wind. Gestern habe ich mich wie erschlagen gefühlt. Heute kaum zu bremsen vor Energie.

Eine liebe Freundin meinte schon, ich würde vielleicht krank werden. Waaas? Krank werden, ich? Ich fühlte mich nicht danach. Und dennoch, da war gleich diese Stimme in mir, die ein kleines Drama anfeuern wollte: Also du japst schon, wenn du mit dem Hund den Berg rauf gehst. Vielleicht ist da was an deinem Herzen? Und wenn du lange im Auto sitzt dann tut dir auch die Hüfte weh, das könnte Arthrose werden. Bei der Annette hat es auch so begonnen und da wolltest du es auch nicht glauben.

Himmel, trickse ich mich da gerade selber aus? Jetzt wo ich so verbunden bin mit mir und meinem Weg?

Manchmal ist es so leicht, kopflastig zu werden und uns die absurdesten Dinge einzureden, als wären sie wahr. Aber die Welt dreht sich, ich bin gesund und alles ist von gestern, nicht mehr der Rede wert. Ich bin mir sicher, dass niemand mitbekommen hat, welche Dramen sich gestern in mir abgespielt haben. Außer meinem Hund, der spürt natürlich alles.

Viele Heiler, Therapeuten oder Seminarleiter neigen dazu, so einen chicen Superumhang zu tragen und immer gut gelaunt in High Vibes zu sein. Und dann wollen wir auch so sein oder wenigstens werden.

Doch in Wahrheit: Manchmal ist ein schlechter Tag einfach ein schlechter Tag. Und es bedeutet wenig bis gar nichts. Außer? Außer du lässt es aus dem Ruder laufen und bleibst tage- oder wochenlang in dieser Energie.

Das nächste Mal, wenn dir so etwas passiert, frag dich doch einfach:
- Ist das, was ich mir gerade selbst erzähle, angemessen?
- Was kann ich tun, um mich anders zu fühlen?
- Was brauche ich tatsächlich im Augenblick?

Und dann höre gut zu und tu genau das.

Möchtest du sich besser kennenlernen? In meinen Schlüsselreisen lernst du mit dir in einen liebevollen Kontakt zu gehen. Deine Wünsche & Träume zu verstehen und deine Dramen aus einem anderen Blickwinkel zu sehen. Damit du aufatmen kannst. Die Schlüsselreisen sind eine wunderbare, sanfte Methode zu deinem Herzen.

Das sind meine Gedanken dazu:

_____

_____

_____

_____

_____

_____

_____

_____

_____

_____

_____

_____

_____

_____

_____

_____

_____

Die Handtasche und das Glück

44

Etwas was du sicher nicht von mir weißt, ist das Dilemma mit meinen Handtaschen.

Entweder sind sie zu schwer, zu groß, zu unübersichtlich, oder das Material zu empfindlich. Nie ist eine wirklich praktisch und schön gleichzeitig. Sehe ich eine die mir gefällt, dann keimt sofort das Gefühl auf: Das könnte sie sein, die perfekte Handtasche. Aber kaum gekauft, entpuppt sich ihr Mangel. Wieder ein Reinfall! Und so suche und suche ich, die Aussortierten türmen sich schon, aber ich bleibe auf der Pirsch, denn irgendwann muss ich sie doch finden, die perfekte Handtasche und dann bin ich endlich glücklich.

Vielleicht ist es bei dir nicht die Handtasche:
- Wovon hängt es ab, ob es dir gut geht – oder weniger gut?
- Wovon hängt es ab, ob du dich vom Schicksal beschenkt - oder vergessen fühlst?
- Wovon hängt es ab, ob du dein Leben reich – oder leer empfindest?
- Wovon hängt es ab, ob du Lebendigkeit fühlen kannst – oder Resignation?
- Wovon hängt es ab, ob dein Leben erfüllt ist von magischen Momenten – oder eben nicht?

An welche äußeren Bedingungen hast du dein Glück geknüpft?
Und wie viele Bedingungen sind bereits erfüllt, ohne dich innerlich mit wirklichem Frieden erfüllt zu haben? Wie oft schleicht sich der heimliche Gedanke ein, nur noch dieser eine Wunsch, die neue Wohnung, die Weltreise, der richtige Partner – und dann wirst du zufrieden, dankbar und glücklich sein? Dann wirst du angekommen sein. Weil dann wirklich alles gut ist?

Ich frage mich oft ob es entweder zu einfach oder zu schwierig ist, wirklich zu begreifen, dass der einzige Schlüssel zum Glück in uns selber liegt.

Nicht im Außen und schon gar nicht gekoppelt an die Erfüllung dessen, was wir für unbedingt notwendig halten, um glücklich sein zu können.

Es gibt ein Glück, das hat man oder man hat es nicht, von dem sprichst du, wenn du sagst: Da habe ich aber Glück gehabt. Dinge die dir zufielen oder eben nicht zufielen, weil etwas nicht geklappt hat. Später stellte sich das für dich als Glückssegen heraus.

Und es gibt ein Glück, das wurzelt ganz allein in dir selbst. Das BIST du mehr, als du es hast. Das kannst du auch leben, wenn manches in deinem Leben nicht geklappt hat, aber du bist glücklich weil du es angegangen bist.

Dieses Glück ist unabhängig von allem Äußeren, das lässt dich strahlen und verbreitet eine zufriedene Ruhe. Magische Momente brauchen kein Feuerwerk oder einen Stehgeiger – sie kommen ganz ohne aus.

Das sind meine Gedanken dazu:

_____

_____

_____

_____

_____

_____

_____

_____

_____

_____

_____

_____

_____

_____

_____

_____

Stolpersteine, nix als Stolpersteine

Wenn ich abends mit dem Hund raus gehe, komme ich an sehr schönen Altbauwohnungen vorbei. Drinnen brennt das Licht und ich sehe hohe Decken, Stuck und Jugendstil Türen. Wenn mein Blick daran hängenbleibt, dann überfallen mich die alten Erinnerungen an die Spaziergänge mit meiner Mutter. Wenn sie konnte, hat sie anderen Menschen gerne in die Gärten und in die Wohnungen geschaut. Dabei war es für mich spürbar, dass vieles von dem was sie sah, ihren geheimen Wünschen entsprach.

Ist es dir auch schon so gegangen, dass du einen anderen Menschen um sein Erreichtes beneidet hast? So gerne hättest du seine Auslandserfahrung, seine positive Lebenseinstellung, seine Fähigkeit sich auszudrücken? Oder die schöne Altbauwohnung?

Irgendetwas scheint dich jedoch daran zu hindern, zu erreichen, was eigentlich dein Vorbild ist. Was hat dich bisher daran gehindert, wichtige persönliche Veränderungen einzuleiten?

Nicht immer sind uns die Gründe bewusst, weshalb unsere Veränderungsbereitschaft gering ist und wir uns nicht verändern.

Hier nenne ich dir einige Gründe:

Du hörst auf dein Bauchgefühl
In deiner Komfortzone, da wo du gerade stehst, da geht es dir relativ gut. Um dich verändern zu können, musst du vorrübergehend Unsicherheit und die Angst enttäuscht zu werden in Kauf nehmen. Das ist dir möglicherweise zu anstrengend oder zu gefährlich. „Lieber die Katze im Sack, als die Taube auf dem Dach.", hat vielleicht schon deine Oma gesagt. Also hörst du auf das komische Gefühl in deinem Bauch und wagst nichts Neues.

Du hörst zu sehr auf andere Menschen
Andere Menschen sehen dich immer aus dem eigenen Blickwinkel. Viele wollen nicht, dass du dich veränderst, weil sie dadurch Nachteile hätten. Deine Mutter sieht dich nicht mehr so oft, wenn du in eine andere Stadt ziehst und deine Freundin hat Angst mit dir nicht mehr mithalten zu können.

Oder man prophezeit dir die eigenen Ängste, nämlich das Veränderung richtig gefährlich ist. Wenn du dich davon leiten lässt, dann kannst du dich nur soweit entwickeln, wie die anderen es zulassen.

Du hörst auf deinen inneren Kritiker

Im Laufe deines Lebens, hast du dir ganz bestimmte Grundeinstellungen zugelegt. Vielleicht hast du schon mal die Erfahrung gemacht, dass du ein Ziel nicht erreicht hast. Jetzt glaubst du, in einer Ecke deines Herzes, du bist zu schwach, dich zu verändern. Dein innerer Kritiker haut genau in diese Kerbe und sagt dir dann: „Stimmt….dir fehlt was. Du bist zu dumm oder zu inkonsequent. Andere, ja, die haben Biss, aber du doch nicht!"

Hörst du auf den inneren Kritiker, gerätst du richtig unter seine Knute, dann wirst du eine persönliche Veränderung höchstwahrscheinlich nicht in Angriff nehmen.

Du hörst auf deinen Stolz

Veränderung ist ein Weg auf dem du noch kein Experte bist. Da kannst du von der Erfahrung anderer, die den Weg schon gegangen sind, profitieren. Wenn du aber Stolz hast, dann fragst du vielleicht nicht nach, wenn etwas nicht so läuft. Oder du kannst keine Fehler zugeben. Du wagst nichts Neues, weil du Angst hast dich zu blamieren. Du möchtest nicht als unwissender Neuling dastehen. Wenn du auf deinen Stolz hörst, geht wenig bis nix mit Veränderung.

Deine Motivation ist zu gering

Manchmal möchten wir etwas ändern, nicht weil wir uns viel von der Änderung versprechen, sondern weil eine andere Person, uns darum bittet oder wir Streit vermeiden wollen. Die Veränderung ist nicht dein Herzenswunsch und deshalb sind die Erfolgschancen von vornherein geringer. Bei der geringsten Hürde oder wenn die Beziehung zu der Person, derentwegen du dich ändern willst, gestört ist, wirfst du die Flinte ins Korn.

Manchmal erkennen wir, dass wir etwas gerne hätten was andere schon erreicht haben. Die andere Person zeigt uns einen inneren Herzenswunsch. Wir nehmen auch wahr, dass wir für den Herzenswunsch etwas ändern sollten, aber es fehlt der innere Druck dazu. Die Vorteile, wenn alles beim Alten bleibt, sind größer als die Nachteile.

Möchtest du dir den Umgang mit Veränderung erleichtern und dir die Angst nehmen, musst du die Ursachen für deine mangelnde Motivation, deine Stolpersteine, aus dem Weg räumen.

Dazu ist es hilfreich, dich besser kennen zu lernen.

Mit meinen Schlüsselreisen lernst du mit dir in einen liebevollen Kontakt zu gehen. Deine Wünsche & Träume zu verstehen und deine Stolpersteine aus einem anderen Blickwinkel zu sehen. Damit wird dein Weg freier. Die Schlüsselreisen sind eine wunderbare, sanfte Methode zu deinem Herzen.

Das sind meine Gedanken dazu:

_____

_____

_____

_____

_____

_____

_____

_____

_____

_____

_____

_____

_____

_____

_____

_____

_____

_____

Gib ihm was auf die Mütze

46

Es gibt ein Wort, ein einzelnes Wort, das hat eine Kraft, die schlägt dem Fass den Boden aus.

Dabei klingt es so ganz harmlos. Wir benutzen es täglich und es ist ein normales, total selbstverständliches Wort. Kaum jemandem fällt seine Macht auf. Es hat die einzigartige Fähigkeit sich in die Sätze zu schummeln, dass du gar nicht mitbekommst, was es dann anrichtet.

Ich habe es schon oft von Menschen gehört, die meine Unterstützung dringend gebraucht hätten. Dieses Wort brachte ihnen im Moment eine scheinbare Lösung, manchmal auch Sicherheit. Aber es wirft alles über den Haufen, dieses eine Wort.

Denn es hat die Kraft Dinge unwichtig erscheinen zu lassen.
Es lautet: **SPÄTER**

Wie, was ...das soll so machtvoll sein?

Zunächst einmal bedeutet „später", dass du dir etwas vornimmst, ein gewisses Interesse an etwas hast und es doch nicht tust. Es bedeutet weiter, dass dein Unbewusstes deutlich spürt, für dich steht etwas an. Und es ist schlau, dein Unbewusstes: Es merkt das du das, was ansteht, nicht tust.

Jetzt geschieht still und heimlich etwas: Dadurch leidet dein Respekt vor dir selbst. Wenn das nicht machtvoll ist.

Ahnungslos redest du dir gut zu, weil es ja nicht sooo schlimm ist, etwas auf später zu verschieben. Du wirst es schon noch machen.

Manchmal sagen wir uns das Wort später nur innerlich, aber es eignet sich hervorragend um uns und anderen etwas vorzugaukeln. So in dieser Art: Ilona, wann gibst du das Seminar wieder, ich mache bestimmt im nächsten Jahr mit.

Das Unbewusste weiß aber, das es ein Vorwand ist.

Denn die Zeit vergeht und „später" trifft ziemlich schnell seine liebste Verwandte, nämlich das Wort „nie".

Das Wort „später" bringt dich dazu, dir selbst etwas heftiges anzutun: Nämlich zu dir selbst nicht ehrlich zu sein. „Später" will als Entschuldigung fungieren.

Das Unbewusste weiß aber, dass du dem nächsten Schritt in Wahrheit **nicht genug Bedeutung** beimisst. Und das ist der wichtige Punkt!

Das Wort „später" ist ein Meister der Kostümierung. Hier noch ein Hut, dort noch einen Schleier, sprich eine umschreibende Formulierung, alles wunderbar getarnt.

Da hilft nur Klarheit und Ehrlichkeit, damit du nicht weiter an der Demontage deines Selbstrespekts arbeitest.

Schau dir mal folgende Kostümierung an:
- Das ist gerade nicht der richtige Zeitpunkt
- Erst wenn ich...
- Es ist mir etwas kurzfristig dazwischen gekommen
- Ich kann das nicht so spüren
- Wenn ich könnte, wie ich wollte....
- Ich habe es mir erstmal vorgemerkt.

Siehst du, nirgends ist diese machtvolle Wort zu lesen. Aber es versteckt sich und schaut grinsend aus seiner Ecke. Es weiß das es wieder einmal gewonnen hat.

Ok. „Später" taucht auf. Was nun...

Hier kommen drei tüchtige Fragen, die dich unterstützen und für Klarheit sorgen. Stell sie dir ganz ehrlich:
- unterstützt mich „später" auf meinem Weg oder ist es nur eine Vermeidungsstrategie?
- Schont es mich, hält es mich schwach oder weiter im goldenen Käfig?
- Was könnte es anrichten, wenn ich ihm die Macht gebe?

Mach dir dieses „später" bewusst, genehmige es dir hier und da und wenn es dir schadet, dann gib ihm was auf die Mütze.

Das sind meine Gedanken dazu:

Der perfekte Moment

47

Schon mit elf oder zwölf Jahren habe ich die Tagebücher der Anne Frank gelesen und war dabei oft zu Tränen berührt. Besonders beeindruckt hat mich die Stelle, an der sie folgendes schreibt:

„Wie herrlich ist es, dass niemand auch nur eine einzige Minute zu warten braucht, um damit zu beginnen, die Welt zu verändern!"

Ein junges Mädchen in Todesgefahr, schreibt eine so weise Erkenntnis auf. Damals hatte ich keine Ahnung wie weise, denn die Bedeutung des Wortes kannte ich noch nicht wirklich. Aber eines war mir von da ab klar: Ich wollte die Welt verändern!

Heute kann ich erst ermessen, wie recht sie damals hatte. Wir müssen nicht auf den perfekten Moment warten, um die Welt zu verbessern... oder uns selbst.

Hast du das Gefühl, in deinem Leben etwas Wichtiges zu verpassen? Ich meine nicht den nächsten Urlaub, ich meine das Gefühl etwas tieferes zu verpassen. Ich meine die Frage nach dem Sinn des „ Ganzen".

Vielleicht kennst du solche oder ähnliche Gedanken.
*   Was ist die Alternative zu meinen jetzigen Leben?
*   Gibt es überhaupt eine?
*   Vielleicht bin ich nicht normal?
*   Soll ich wirklich so weitermachen?
*   Vielleicht bin ich ja auf dem falschen Dampfer?

Machen diese Fragen einen Sinn für dich? Vielleicht drehen sich deine Antworten im Kreis, das kann auch passieren. Halte dich nicht zu lange in den Stadium: "Ich weiß es nicht" auf...
*   „Ich weiß nicht was ich will."
*   „ich weiß doch nicht was ich ändern will."
...denn ich kann es dir auch nicht sagen

Nur soviel: Das keine Entscheidung auch eine Entscheidung ist.

In jedem Fall möchte ich dir eines sagen:

Wenn du auf den perfekten, einzigartigen Moment wartest, um etwas zu verändern, dann wirst du ewig warten. Ewig warten auf das Gefühl, die eigene Richtung im Leben zu kennen und zu wissen, dass du das Richtige tust.

Und auch, wenn es dich erstaunt, weil du bisher fest an den perfekten Moment geglaubt hast, dein Leben ist voll von Momenten, die dein Leben verändern.

Das klingt vielleicht poetisch, aber es ist so. Vielleicht ist es gerade dieser jetzige Moment, in dem du eine wichtige Erkenntnis fühlst.

Das sind meine Gedanken dazu:

_____

_____

_____

_____

_____

_____

_____

_____

_____

_____

_____

_____

_____

_____

_____

Wie lange noch?

48

Vor einigen Jahren geriet ich in ein persönliches Dilemma. Ich hatte das Gefühl meinen beruflichen Stil, meine Werte und meine Wünsche nicht mehr leben zu können. Ich fühlte mich einerseits gefangen in alten Entscheidungen und andererseits zu kraftlos meiner Komfortzone zu entkommen.

Ich hatte Wünsche und Ziele, von denen ich glaubte, dass sie niemand verstand. Denn in dieser Phase verstand ich ja selbst nicht, warum ich mich so anders fühlte. Warum ich nicht zufrieden sein konnte. Warum ich nicht meine Arbeit wie bisher machen konnte. Ich wusste nur, so wollte ich nicht mehr.

Mein ganzer Körper streikte. Das war nicht mehr die Ilona von früher. Diese Ilona wurde immer grauer, immer leiser und unzufriedener.

Wie ein eingesperrtes buntes Einhorn, dass lieber in seiner vollen Kraft rennen und frei sein will.

Stattdessen hatte ich Chaos im Kopf, war abgekämpft und müde vom vielen Grübeln. Nachdenken brachte mich nicht weiter.

Dabei hielt mir das Leben ein Schild mit der Aufschrift: Es ist Zeit für Veränderung, deutlich vor die Nase. Damit wollte es mich ermutigen, mich zu bewegen und weiter zu wachsen. Sprüche wie „Ich hab doch schon so viel gemacht." nahm das Leben dagegen nicht an.
Stattdessen bot es mir erneut die Chance, herauszufinden, welche Kräfte und Fähigkeiten noch in mir steckten und was mir wirklich wichtig war.

Ganz offensichtlich hatte ich meine eigenen Grenzen noch nicht ereicht. Diese Erkenntnis war der zündende Funke. So traf ich eine Entscheidung und nahm die Herausforderung an.

Und jetzt eröffneten sich Möglichkeiten, die ich vorher nicht sehen konnte

Wie ist es bei dir? Ist Durchhalten dein Rezept für dein Unglück?

Wenn du nämlich Dinge durchhältst, die dich nur noch frustrieren, die dir die Lebendigkeit nehmen.

Wie lange noch
- pflegst du die Angst davor, dort stecken zu bleiben, wo du jetzt bist.
- unterdrückst du das Gefühl, dass jetzt endlich DU mal an der Reihe bist
- machst du es allen Recht, außer dir selber.
- bremst du dich selbst aus oder lässt dich ausbremsen?

Brauchst du Wind unter deinen Flügeln? Möchtest du dich nicht länger dafür entschuldigen, wie du sein und leben möchtest?

Dann liegt es an dir eine mutige Entscheidung zu treffen. Denn es bedeutet, dass du bereit bist, dich neu zu erfinden. Solange du nur versuchst, etwas neues zu erreichen - ausgehend von deinen alten Gewohnheiten zu denken, zu fühlen und zu handeln - kreierst du eine Zukunft, die nur deine Vergangenheit widerspiegelt. Und das wird dir weh tun.

**Trau dich die Veränderung zu wagen, die du dir so sehr wünschst.
Du kannst das!**

Das schöne dabei ist: Du musst deinen Weg nicht alleine gehen. Dich zu begleiten ist ja meine Mission.

Das sind meine Gedanken dazu:

_____

_____

_____

_____

_____

_____

_____

_____

_____

_____

Haltbarkeitsdatum abgelaufen

49

Findest du, dass du merkwürdige, skurrile oder sogar schlechte Angewohnheiten hast? Oder hast du schon mal gehört das du sie hast?

- Du würdest die ganze Zeit die Alleinunterhalterin spielen
- Du seiest ein zurückgezogener Sauertopf
- Du würdest immer vor Herausforderungen zurückschrecken. Oh nein, das geht nicht!
- Du wärest eine Dramaqueen
- Immer musst du kleinmachen und untertreiben

Jede von uns hat etwas, das sie an sich ablehnt und deshalb vorgehalten bekommt. Ich kann dir sagen, das passiert uns nicht einfach so.

Denn in Wahrheit sind unsere Angewohnheiten Überlebenstrategien, die wir uns in der Kindheit zugelegt haben, um in der Familie zurechtzukommen:

- Sich zurückziehen, war vielleicht die Lösung um lauten Konflikten zwischen den Eltern zu entkommen.
- Klassenclown zu sein, brachte endlich Aufmerksamkeit, die an anderer Stelle verwehrt wurde.
- Jemand, der Herausforderungen scheut, wurde vielleicht häufig kritisiert und hat damit eine Lösung gefunden, um keine Niederlagen mehr spüren zu müssen.
- Es macht jede Menge Sinn sich im Hintergrund zu halten, wenn man in der Pause immer nur geärgert und wegen seiner Nase gehänselt wurde.

Hinter jeder Angewohnheit steht eine Geschichte, meistens eine traurige.

Dich so zu verhalten war deine Art, mit den Problemen in deiner Kinderzeit umzugehen.

Dich damit zu beschäftigen macht großen Sinn, denn so merkst du, dass du es immer gut mit dir selbst gemeint hast. Das du, schon als kleines Kind, in der Lage warst, die beste Lösung zu finden, die dir damals zur Verfügung stand. Tolle Leistung für so kleine Knirpse.

Also macht es keinen Sinn, deine Willenskraft zu vergeuden und gegen diese „Macken" anzukämpfen. Bitte akzeptiere sie zuerst für das, was sie sind: Damals gute Lösungen für deine Probleme. Nicht mehr, aber auch nicht weniger.

Freu dich an der Klugheit dieses süßen Kindes, das du einmal warst. Erkenne, warum es damals gut funktioniert hat und sieh dann, dass das Haltbarkeitsdatum abgelaufen ist.

Erst, wenn du das verinnerlicht hast, endet der Widerstand gegen dich selbst. Jetzt kannst du neue, sinnvollere Lösungen entwickeln, um als erwachsene Frau mit deinen heutigen Herausforderungen zurechtzukommen.

Meine Mission ist es, dich daran zu erinnern, dass du ein wunderbares Kind warst, dass du einzigartig bist und dass du das Potential hast, zu ändern, was du ändern willst.

Das sind meine Gedanken dazu:

_____

_____

_____

_____

_____

_____

_____

_____

_____

_____

_____

50

Die Sorgen, dein Fokus und du

Meine Heilpraktikerprüfung wollte ich unbedingt bestehen, ich war top vorbereitet. Auf dem Weg zum Gesundheitsamt stellte ich mir dennoch unentwegt Fragen im Kopf, die meine Stimmung total in den Keller katapultierten.

Ich war nervös und hatte Angst:
- Was ist, wenn der Prüfer einen schlechten Tag hat?
- Was ist, wenn eine Frage drankommt, auf die ich nicht vorbereitet bin?
- Was ist, wenn der Prüfer Dialekt spricht und ich das nicht verstehe?

Die Prüfung lief trotz meines Gedankenwahnsinns wirklich gut, aber es hätte mich auch meinen Hals kosten können. Warum?

Weil ich mich vorher auf Dinge konzentrierte, auf die ich selber keinen Einfluss hatte. Ich konnte weder die Laune des Prüfers, noch seinen Dialekt, noch die Fragen kontrollieren. Und dennoch versuchte ich es. In meinem Kopf. Das führte zu einem Gefühl der totalen Hilflosigkeit.

Heute weiß ich: Wir müssen damit aufhören uns über Dinge den Kopf zu zerbrechen, die wir nicht kontrollieren können.
- „Wird mich dieser interessante Typ abweisen, wenn ich ihn anspreche?"
- „Wird noch jemand mit mir arbeiten wollen, wenn die Wirtschaft in den Keller geht?"

Es ist einfach so. Wir haben keinen Einfluss.

Stattdessen konzentriere dich auf das was du beeinflussen kannst.
Du kannst hingehen und den interessanten Typen ansprechen, du kannst jeden Tag im Job dein Bestes geben. Was dann kommt, hast du nicht im Griff. Übernimm Verantwortung für deinen Fokus. Tue alles was du tun kannst und dann lass den Dingen ihren Lauf. Stundenlang darüber nachzugrübeln macht in meiner Welt keinen Sinn (mehr).

Sobald du keinen Einfluss nehmen kannst kommt es eh, wie es kommt. Also nimm dein Leben bewusster in die Hand.

Regel alles, was du regeln kannst und dann lass los.

So wirst du ein viel entspannteres Leben mit angenehmen Gefühlen, Glück und Freude bekommen. Denn mit deiner Grübelei über Eventualitäten verhinderst du nur das gute Dinge passieren können.

Das sind meine Gedanken dazu:

_____

_____

_____

_____

_____

_____

_____

_____

_____

_____

_____

_____

_____

_____

_____

_____

_____

_____

51

Bei dir bleiben

Ich höre sehr oft ein besonderes Thema und das heißt: „**Bei mir bleiben.**"
Also dein Ding zu machen.

Ein bisschen muss ich dann schlucken, denn...
Wenn ich hier oder wo auch immer eine Umfrage machen würde, wer glaubt, authentisch zu sein, sein Ding zu machen und nicht mehr wirklich davon abhängig zu sein, was andere darüber denken, dann wäre die Rate von: „**Hier, ich**" sehr hoch.

Schaue ich aber genauer hin, dann sieht die Faktenlage etwas anders aus.
Unsere Interpretation des Themas (ich lasse mich wenig von der Meinung und dem Tun anderer beeinflussen) spiegelt sich nicht in dem wieder, was wir wirklich leben.

Oder warum trauen sich zum Beispiel immer noch viel zu wenige Frauen mehr Gehalt zu fordern, die Stellung zu wechseln oder ihre Preise an ihren Wert anzupassen?

Nein, du irrst. Das hat wenig mit Selbstwert zu tun, eher mit der Angst, dass das niemand bezahlt. Oder sie das höhere Gehalt nicht wert sind. Oder das sie noch nicht genug können.

Du kannst auch die Beziehungsebene nehmen. Warum trauen sich nur wenige Frauen, ein Seminar zu besuchen, obwohl die Oma Geburtstag hat, der Partner davon absolut nicht begeistert ist oder sie um Urlaub bitten müssen? Warum ist garnicht so sehr die Frage, sondern:

Wo sind sie dann?
Genau! Bei ihrer ureigensten Interpretation, was andere denken oder tun könnten oder auch nicht tun könnten.

Da ist die echte Herausforderung bei sich zu bleiben.

Wir sind so gewohnt zu denken „Was der andere wohl denkt?", dass wir meistens gar nicht erst etwas wagen. Solche alten Überzeugungen können uns so fest im Griff haben, dass wir es nicht bemerken.

Jetzt stelle ich meine Frage etwas anders: Bei welchem Thema kannst du noch bewusster sein, damit du deine Einzigartigzeit wirklich wertschätzt und lebst?

Das sind meine Gedanken dazu:

_____

_____

_____

_____

_____

_____

_____

_____

_____

_____

_____

_____

_____

_____

_____

_____

_____

_____

Enjoy the ride

52

Deinen Herzensweg zu gehen heißt nicht, dass es auf diesem Weg pausenlos Konfetti regnet. Und persönliches Wachstum bedeutet nicht, du tanzt deinen Namen und alles wird gut.

Persönliches Wachstum bedeutet „Innere Arbeit" UND „Arbeit im Außen".

Wenn du die Richtung kennst und dir das Ziel wirklich am Herzen liegt, dann kannst du auch diesen Teil des Weges lieben, den überbequemen, den nebeligen.

Hast du ernsthaft gedacht, der Weg zu dir Selbst wird dich ausschließlich durch ein Regenbogeneinhornland führen?

Es ist nicht immer leicht, es ist bloß einfach
Das ist ein liebenswerter Unterschied. Ich weiß nicht, ob du es wusstest.

Es ist einfach, wenn du weißt, dass das Leben immer FÜR dich ist und niemals gegen dich, wenn du deinem eigenen Weg folgst. Oft interpretieren wir das Leben nur vorschnell.

Aber das weißt du auch. Weil du mindestens einmal in deinem Leben hinter den gesellschaftlichen Vorhang geblickt hast.

Wachstum ist ein Prozess, ein immerwährender. Verabschiede dich von der Vorstellung, dass du irgendwann mal „fertig" bist.

Enjoy the ride
Liebe dein Mensch-sein
Deine menschlichen Erfahrungen
Das ganz vielseitige Ding, das sich Leben nennt
Liebe was dazu gehört
Höre auf zu bewerten
Höre auf, auszuweichen
Höre auf, zu vermeiden

Es ist nicht nur nicht nötig, es schadet dir. Wenn du Schmerz vermeiden willst, vermeidest du auch dein Glück.

Wir verdrängen und vermeiden, was wir zuvor als negativ bewertet haben. Und Verdrängung ist der direkte Weg ins Ungleichgewicht. Willst du wirklich so durchs Leben humpeln?

Es geht nicht darum, bestimmte Gefühle (Neid, Trauer, Eifersucht, Wut, Scham) nicht zu fühlen, sondern als Teil des Ganzen zu begreifen und sie anzunehmen, ohne in ihnen stecken zu bleiben, sondern weiter zu gehen.

Eine bewusste, wache Reaktion auf Schmerz ist nicht Verleugnung und auch nicht sich im Drama auflösen, sondern die Akzeptanz desselben. Ohne Bewertung. ES IST.

Es ist oft ein Resultat deines Denkens. Der Katastrophen die du dir ausmalst. Der Kränkungen, die dich zu Boden schmettern. Der Täuschungen, Einbildungen und falschen Erwartungen. Du fühlst was du denkst. Deine Zuschreibungen lassen dich fühlen und darin liegt immer, aber wirklich immer, ein Learning.

Und Learnings, du wunderbare Frau, sind die Essenz von Wachstum. Sie heben dich auf die nächste Stufe. Und genau darum geht es doch, oder? Eben.

Das sind meine Gedanken dazu:

_____

_____

_____

_____

_____

_____

_____

_____

_____

_____

Bonus: Die volle nackte Wahrheit

53

In den letzten Tagen haben mich Fragen erreicht, die alle in eine bestimmte Richtung zeigten:

- Wie fühlt es sich an, wenn du jeden Tag aktiv bist und für uns schreibst?
- „Ist das nicht komisch?"
- „Nervt das deine Community nicht?"
- „Ich könnte das nicht. Ich ginge den Leuten doch sicher damit auf die Nerven!"

Stimmt. Ich schreibe jeden Tag Ilona`s Impulse, ich schreibe außerdem meine Posts, Blogs und am Ende dieser ist immer ein Angebot von mir.

Die ganze volle nackte Wahrheit und nichts als die Wahrheit ist:
Nein, ich habe keinen Ghostwriter. Ich schreibe jede Zeile selbst. Wenn ich meine Angebote mit meiner Community teile und ihnen zeige, dass ich sie unterstützen kann, immer und immer wieder, dann tue ich es sicher nicht mit einer Einstellung, mit der ich mich schlecht fühle.

Warum? Weil ich nur solche Angebote entwickle und anbiete, von denen ich absolut überzeugt bin und es Themen sind, mit denen ich selbst meine Troubles hatte, die ich aber transformieren konnte. Das ist auch ein wichtiger Punkt.

Ich fühle noch, wie es früher war und weiß, wie es heute ist. Und davon kann ich lebendig erzählen und dich teilhaben lassen.

Ich hole mir nicht nur die Überweisungen meiner Teilnehmer ab, sondern ich habe eine Vision, es DIR leichter zu machen. Dir bei deinem Shift in ein authentisches, strahlendes Leben, die richtige Unterstützung zu geben.

Das ist es, wie ich mich fühle

- Ich bin da,
- schreibe Blogs & Posts für dich,
- schicke dir Emails,
- und zeige dir Einblicke in meine Erfahrungen.

Dafür brauche ich mich nicht zu entschuldigen.

Und ich möchte auch, dass du aufhörst, dich auf irgendeine Weise schlecht zu fühlen, wenn du deiner Vision folgst.

Es gibt nur eine Frage... ob du das auch willst?

Wie es weiter geht...

Wenn du an dieser Seite angekommen bist, dann weiß ich, dass du mein Buch nicht in die Tonne getreten hast.

Wie war das Lesen für dich? Hattest du Freude an meinen Impulsen, musstest du schmunzeln? Haben sie dich aufgewühlt und manchmal betroffen gemacht? Oder warst du auch mal empört, wie ich die Dinge einfach so schreiben kann...?

Wenn alles zusammen passiert ist, dann hat sich meine Arbeit richtig gelohnt.

Was kommt jetzt? Ab ins Bücherregal und alles vergessen oder gehst du jetzt ans umsetzen? Du weißt ja, es ist alles eine Frage der Entscheidung!

Wenn du dir sicher bist und mit mir arbeiten möchtest, freue ich mich sehr wenn du Kontakt zu mir aufnimmst. Erzähl mir welcher Impuls dich besonders berührt hat oder welcher am meisten mit deinem Leben zu tun hatte.

Gemeinsam finden wir den besten und passendsten nächsten Schritt für dich. Sei es ein 1:1 Mentoring, die Schlüsselreisen oder ein Seminar.

So kontaktierst du mich:
*   kontakt@ilona-steinert.de
*   www.ilona-steinert.de

Ich freue mich auf Dich!

Herzlichst, Deine Ilona

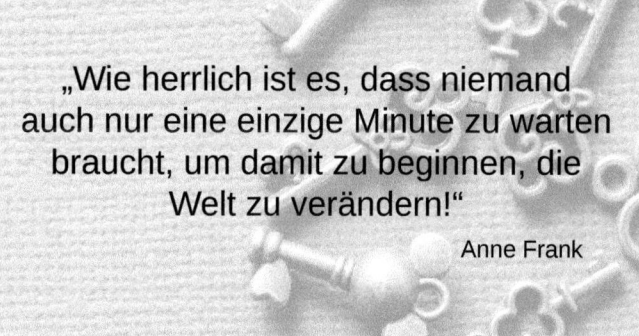

„Wie herrlich ist es, dass niemand
auch nur eine einzige Minute zu warten
braucht, um damit zu beginnen, die
Welt zu verändern!"

Anne Frank